TEATRO DEL VOLADOR

RODOLFO USIGLI

¡BUENOS DIAS SEÑOR PRESIDENTE!

Joaquín Mortiz

RODOLFO USIGLI: ¡BUENOS DÍAS, SEÑOR PRESIDENTE!

JOAQUÍN MORTIZ • MÉXICO

teatro del volador

Rodolfo Usigli

¡Buenos días, Señor Presidente!

MORALIDAD EN DOS ACTOS
Y UN INTERLUDIO SEGÚN
La vida es sueño

Primera edición, junio de 1972
D. R. © Editorial Joaquín Mortiz, S. A.
Tabasco 106, México 7, D. F.

Humildísimo homenaje a la obra siempre viva de Don Pedro Calderón de la Barca (1635), con mis excusas, mi profundo respeto y mi admiración ilimitada.

R. U.

Oigo lo que se fue, lo que aún no toco
y la hora actual con su vientre de coco.

RAMÓN LÓPEZ VELARDE

...Porque el hombre
predomina en las estrellas.
....
Porque en el mundo, Clotaldo,
todos los que viven sueñan.

La vida es sueño, II, 1.

Pero hay que vivir para soñar
y es preciso soñar para vivir.

Sueño como voz en marino caracol,
el sueño es para todos, como el sol.

R. U.

— Envío —

Al señor Licenciado Luis
Echeverría Álvarez, Pre-
sidente Constitucional de los
Estados Unidos Mexicanos
por razones que el corazón
y la razón conocen —
   Con respetuoso afecto —
      [firma]

México
1972-

PERSONAS
(en orden de aparición)

HARMODIO, 22 años
EL EX PRESIDENTE FÉLIX, 39 años
VICTORIA (CASANDRA), 20 años
UN MAYORDOMO
DOS GUARDIAS DE ASALTO
EL GENERAL ASDRÚBAL, JEFE DE ESTADO
   MAYOR, 43 años
EL DOCTOR SOLÓN, PRESIDENTE DEL
   PARLAMENTO, 48 años
CUATRO MINISTROS
CUATRO PERIODISTAS
DIOSDADO, 24 años
ALMA, HIJA DE ASDRÚBAL, 18 años
DOS LOCUTORES RADIOFÓNICOS, CON
   MÁSCARAS
UN PARTIDARIO
EL JUEZ DE LO CIVIL
EL CAPITÁN HERACLES
EL DECANO DEL CUERPO DIPLOMÁTICO

Operadores de televisión y noticieros cinematográficos, oficiales y guardias de asalto, criados, etc.

   La acción en la época actual, en un país indoamericano.

ACTO PRIMERO

Un solo decorado, convertible con auxilio de vagones, para comunicar el ambiente, de apariencia realista, de una alcoba, un salón de consejo y una celda, a base de elementos esenciales.

Al apagarse la luz en la sala se escuchará un nutrido tiroteo de rifles, acompañado por ráfagas intermitentes de ametralladoras. Sobre esto se alza una voz vibrante —la de Harmodio— que clama: ¡Asesinos!

Un disparo seco. Silencio. El telón se alza sobre la alcoba presidencial a oscuras, pero por un balcón del fondo penetra una sospecha de claridad. En la cama, a la derecha, se revuelve un durmiente y habla entre sueños.

HARMODIO

¡No tiren, no tiren, no tiren! ¡Somos los jóvenes! ¡Estamos. .!

LA VOZ DE VICTORIA, *en el sueño de Harmodio*:

¡Cuidado, Harmodio! ¡No digas inermes porque no entenderán!

HARMODIO, *soñando y sonriendo*:

¡Tú y tus chistes! ¡Estamos desarmados! Sin armas, ¿entienden? Gracias, Victoria. Siempre alerta. (*Tiroteo lejano, un tiroteo de sueño.*) ¿Dónde está Diosdado?

LA VOZ DE VICTORIA, *en el sueño de Harmodio*:

Lo vi aquí cerca hace poco. Creo que ha caído.

HARMODIO, *soñando*:

¡No, no! ¡Diosdado! ¡Diosdado! ¡Diosdado!

LA VOZ DE DIOSDADO, *en el sueño de Harmodio*:

Aquí estoy, no te apures. Cuidado, ¡cuidado, Harmodio! ¡Te pegan!

LA VOZ DE VICTORIA, *mismo juego*:

¡Harmodio!

El ruido de un golpe seco, muy amplificado. El durmiente exhala un largo quejido, se agita con brusquedad, despierta y se incorpora en el lecho.

HARMODIO

¡Victoria! ¡Diosdado! (*Silencio.*) ¿Dónde estoy? (*Se levanta con torpeza. Tiene puesto un pijama de seda. Tropezando, a tientas como un ciego, alcanza una pared y la golpea.*) ¡Alguien! ¡Alguien! ¿Qué agujero es éste? ¿Dónde estoy? ¡Alguien! (*Golpea siempre.*)

Se abre de pronto una puerta, aunque esto no disipa la penumbra: también el pasillo está a oscuras. Entra un hombre. Cuando enciende la luz de la alcoba se verá al ex Presidente Félix vestido como un impecable mayordomo, de jaquette, chaleco negro y pantalón a rayas.

FÉLIX, *cerrando la doble puerta tras sí*:

¡Buenos días, señor Presidente!

HARMODIO, *sobresaltado, se vuelve con violencia hacia la voz*:

O es usted un loco o yo estoy soñando.

12

FÉLIX, *tranquilo y sobrio*:

Ni lo uno ni lo otro, señor.

HARMODIO

¿Dónde estoy? ¿Qué nueva prisión es ésta?

FÉLIX

Está usted en la alcoba presidencial de la Residencia de Los Olivos.

HARMODIO, *furioso*:

¿Se burla usted de mí?

FÉLIX, *mismo juego*:

No me lo permitiría yo. Bastante preocupados nos ha tenido usted ya. (*Hace funcionar el conmutador y la luz viene a raudales cegando a Harmodio, que se cubre los ojos. Luego descorre las cortinas del balcón al fondo centro, y la suave luz matutina se entremezcla con la artificial.*)

HARMODIO, *descubriéndose los ojos y mirando en torno, atónito, hasta bajar la vista y darse cuenta del pijama que lleva*:

¡Un momento! Yo tenía una chamarra de cuero anoche. ¿Dónde está? (*se frota con ternura la base del cráneo*).

FÉLIX

No anoche, señor. Hace tres noches que tuvieron lugar los... acontecimientos. Usted recibió un peligroso golpe contuso en la base del cráneo y ha estado setenta y dos horas bajo sedación y antibióticos con proteolíticos, preocupándonos gravemente como dije. (*Harmodio vuelve a frotarse.*) Si tiene usted dolor aún, su medicamento está allí. (*Señala el buró. Harmodio toma un frasco, lo mira, lee la etiqueta y toma*

13

dos comprimidos sirviendo agua de un botellón en un vaso.)

HARMODIO, *frotándose aún*:

¡Mi chamarra!

FÉLIX

Estaba cubierta de sangre y se mandó a limpiar.

HARMODIO, *estallando*:

¡Había unos papeles en la bolsa!

FÉLIX

Yo mismo los retiré y me permití leerlos.

HARMODIO, *mirándolo lentamente*:

¿Usted, un criado? (*Félix sonríe con aquiescente ironía.*) No. Un momento. (*Se frota los ojos.*) Usted no es un criado. Usted es...

FÉLIX

Yo *era*. En efecto, yo era un criado de la nación: era el Presidente de la República.

HARMODIO

El general Félix... El viejo Félix.

FÉLIX

Treinta y nueve años cumplidos, señor.

HARMODIO

¿Y ahora?

FÉLIX

Ahora usted es ese criado, el siervo condenado.

HARMODIO

¿Insinúa acaso que..?

FÉLIX

Ahora usted *es* el Presidente de la República.

Esta vez Harmodio no puede contenerse y se echa a reír, fresca, prolongadamente. Al cabo de un momento se contiene.

14

HARMODIO

Sigamos con la broma o con el sueño. Hubo una manifestación pacífica nuestra, una agresión armada de sus guardias de asalto: tiros, golpes, sangre, víctimas. ¿Cuándo fueron las elecciones?

FÉLIX

Transmisión totalmente pacífica del poder por primera vez en nuestra historia. El gobierno saliente ha aceptado la situación como benéfica para el país, y está libre y a las órdenes del nuevo gobierno.

HARMODIO

Pero en todo esto, yo... nosotros queríamos...

FÉLIX

Y ya lo tienen. Nos costó bastante trabajo dar en ese caos con el jefe de la manifestación organizada por el Partido Fraternal de la Juventud, en realidad. Lo encontramos golpeado de gravedad, lo trajimos a la residencia y lo pusimos en manos de los médicos.

HARMODIO

Pero, ¿y las elecciones?

FÉLIX, *lento, como aburrido*:

En su chamarra ensangrentada encontramos el pliego de peticiones de su partido, que fue turnado al Parlamento. El Parlamento, reunido en sesión extraordinaria y secreta, decidió después de estudiar el pliego deponer a mi Gobierno y designarlo a usted Presidente Provisional. Somos, felizmente, una república parlamentaria y el Parlamento tiene facultades extraordinarias para los casos de emergencia.

15

HARMODIO

Pero, ¿por qué yo precisa. .?

FÉLIX

Es usted mayor de edad, ha organizado y dirige a toda la juventud del país y reclamó el gobierno para salvar al pueblo (*sonrisa acentuada*) del desastre al que lo llevábamos nosotros los viejos.

HARMODIO

Hay otros más indicados que yo.

FÉLIX

Si dimos con usted fue porque todos los demás lloraban gritando su nombre.

HARMODIO, *ligera duda*:

Pero dijo usted: provisional. Yo no. . .

FÉLIX

Por año y medio solamente, por el término de mi mandato constitucional, durante el cual usted convocará a elecciones y podrá jugar, si quiere, para la presidencia definitiva. Es la decisión del Parlamento.

HARMODIO

Ah. (*Un asomo de sonrisa desconfiada.*) Pero, si soy ahora el Presidente, ¿qué demonios hace usted en mi casa?

FÉLIX, *sonrisa abierta*:

Se trata sólo de un rito protocolar: yo debo entregar a usted el gobierno en presencia del Presidente del Parlamento y de representantes de la prensa dentro de (*mira su reloj*) una hora justamente.

Harmodio pasea, reflexiona profundamente. Al fin sonríe y se detiene.

HARMODIO

Esto parece ir en serio. No hay sino una manera de averiguar si es verdad o burla. Tendré que vestirme. No puedo recibir el poder en estos. . . en este disfraz.

FÉLIX

Su traje de ceremonia está listo, señor Presidente. En cuanto llamemos vendrán el barbero y el ayuda de cámara.

HARMODIO

Sé vestirme y afeitarme solo. No quiero criados. No los habrá en mi régimen.

FÉLIX

Es parte de su nueva servidumbre a la nación, señor. Ahorra tiempo.

HARMODIO

Ajá. Ya veo. Dígame, general, tendré que formar un nuevo gobierno, ¿verdad? El de los jóvenes.

FÉLIX

El Parlamento (*sonrisa*) recomienda en su decisión que utilice usted también la colaboración de los. . . senectos que tenemos cierta experiencia en la conducta de las riendas del poder.

HARMODIO

¡Ah! ¿Y dónde está el decreto parlamentario?

FÉLIX, *sonríe:*

Oportuna pregunta. Aquí, señor. (*Lo saca de su bolsa de pecho y se lo tiende. Harmodio lo*

17

despliega y lo recorre febril pero atentamente con la vista dos o tres veces.)

HARMODIO

Parece en regla, sí.

FÉLIX

En regla de oro, señor.

HARMODIO

Perfectamente. En ese caso...

Lo interrumpe un triple toquido en la puerta izquierda.

FÉLIX, *abre la doble puerta*:

¿Qué ocurre?

UN GUARDIA DE ASALTO, *en el umbral*:

Es una señorita, en estado de crisis nerviosa, que quiere ver al señor Presidente.

HARMODIO

¿Lo dijo así?

GUARDIA.

Sólo por nombre, señor. "Quiero ver", lo grita, "a Harmodio".

FÉLIX, *antes de que Harmodio reaccione*:

Hágala entrar.

Pequeña pausa expectante en la que Harmodio y Félix, desde ángulos opuestos, miran hacia la puerta. Entra, flanqueada por dos guardias de asalto, Victoria: alta, esbelta, morena, un tanto atlética pero fina. Irradia ánimo y energía.

VICTORIA

¿Dónde está Harmodio? ¿Qué han hecho con él?

Salen los dos guardias.

HARMODIO, *abriendo los brazos*:
Aquí, Victoria.

VICTORIA, *mirándolo, incrédula*:
¿Tú, con esos trapos de niño bonito? ¿Tú? ¿Y tu cabeza?

HARMODIO
Entera y sobre mis hombros. Puedes tocarla.

VICTORIA, *cayendo en sus brazos*:
¡Nos has tenido locos de zozobra a todos! ¡Oh Harmodio, Harmodio!

HARMODIO
Tu Harmodio, Victoria. Ahora Presidente de la República.

VICTORIA
¡Estás loco perdido! ¿Qué dices?

HARMODIO, *tendiéndole el decreto*:
Puedes leerlo aquí.

VICTORIA, *después de leer en un vuelo*:
¡Se burlan de ti, te toman el pelo, entiéndelo! ¿No has visto a los guardias de asalto que me trajeron? ¿No sabes quién es este hombre que está contigo?

HARMODIO
Sí, el ex Presidente Félix.

VICTORIA
¡El general Félix! ¡El viejo asesino que dos veces ordenó disparar sobre nosotros!

FÉLIX, *con acerba sonrisa*:
Señorita, los gobernantes no asesinan: ejecutan a los infractores del orden y cumplen con su deber para el mayor bien del país.

19

VICTORIA

¡Es una burla atroz! ¡Ten cuidado, Harmodio, ten cuidado! ¡Se trata de todos nosotros, de todos los jóvenes que somos tuyos! ¡Y ya viste a cuántos mataron! ¡Ten cuidado!

HARMODIO

Mi pequeña Casandra: prediciendo desastres siempre.

VICTORIA

¡Te dije lo que pasaría la otra noche, cuando íbamos en són de paz y marchando en silencio a entregar el pliego de peticiones! ¡Te lo dije y no me creíste y pasó, y murieron cientos de los nuestros!

HARMODIO

Todo eso se acabó, Victoria. Ahora nosotros somos el gobierno. ¿O no has leído bien esto?

VICTORIA

¡Ay, Harmodio!

HARMODIO, *dueño de la situación de pronto*:

Cálmate, Victoria. No estamos soñando y ahora vamos a la realidad, a una nueva realidad. Tengo que vestirme para recibir el poder. Señor general, le ruego que ordene lo necesario. Tú, Victoria-Casandra, espérame en el salón contiguo. Vendrás, verás y vencerás conmigo. El poder es de los jóvenes ahora. La razón, el hombre y la vida han triunfado.

VICTORIA

¡Es un sueño! ¿No sabes, insensato, que Diosdado sigue preso?

HARMODIO

¿Preso? ¡Que lo traigan aquí en seguida,

general Félix!

FÉLIX

En seguida, señor Presidente. (*Mutis.*)

VICTORIA

¡Despierta, Harmodio!

HARMODIO, *la toma por los brazos y la sacude suavemente*:

Eres tú quien debe despertar, mi Victoria.

Oscuro.

Tras una breve pausa, en la oscuridad se oye:

LA VOZ DE HARMODIO

Prometo formar un gobierno joven, fuerte, sano, justo, limpio de rencores y de prejuicios, de taras, de intereses y ambiciones personales y de estigmas infecciosos. Juro dar a mi pueblo un régimen de verdad, de libertad y de justicia, de pan y de esperanza.

LA VOZ DEL DOCTOR SOLÓN, PRESIDENTE DEL PARLAMENTO:

Si así lo hiciéreis, Presidente Harmodio, que el pueblo os lo premie. Y si no, que os lo demande con el mayor rigor.

Aplausos prolongados.

Durante el oscuro, con una vertiginosa proyección de reflejos que sugieren ondas radiofónicas, suena:

LA VOZ DEL LOCUTOR RADIOFÓNICO I (*Proyección de una caseta emisora de radio cuyo*

*tablero será iluminado solamente por un re-
flector que revelará también la careta o máscara
que identifica a cada locutor)*: Nuestros oyentes acaban de escuchar el original juramento,
único en nuestra historia, pronunciado por el
Presidente Harmodio al recibir la banda simbólica del Supremo Poder de la Nación y la
respuesta del doctor Solón, Presidente del Parlamento. El Primer Mandatario aparece ahora
en el balcón de la Residencia de los Olivos para
saludar al pueblo que lo aclama y vitorea con
un entusiasmo sin precedente en los siglos que
contamos de vida.

*Rumor creciente comparable al ruido del mar,
que culmina al fin en gritos audibles: ¡Viva Harmodio! ¡Nuestro hermano Harmodio viva! ¡Viva
la Nación! ¡Viva la juventud nacional!*

*El telón se levanta sobre el salón de consejo. Har-
modio vuelve del balcón, ceñida la banda presidencial sobre un sencillo traje oscuro, entre el ex
Presidente Félix y el Presidente del Parlamento,
doctor Solón, vestido también de jaquette. Están
en escena además Victoria, el general Asdrúbal,
Jefe de Estado Mayor, cuatro Ministros, que pueden o no ser figuras de cera, y los cuatro Periodistas con cuadernos de notas y micrófonos, un operador de televisión con su cámara, un operador
cinematográfico, oficiales, que pueden ser los guardias de asalto ya vistos, el mayordomo, criados,
etc. Los Periodistas rodean a Harmodio y empiezan a disparar preguntas:*

PERIODISTA PRIMERO:

Señor Presidente: ¿es cierto que se propone usted abolir en nuestro país el sistema parlamentario?

HARMODIO, *sobrio, pero posesionado ya del papel del poder*:

Inexacto. No veo razón para abolir un sistema que nos limpia de la calumnia de que en nuestros países y en nuestra estructuración política piramidal el Presidente deba ser único y omnipotente —aun eterno— y aislarse en el ápice de la pirámide. Queremos probar que el Presidente es el alma y el Primer Ministro el cerebro del régimen y que los dos estarán siempre al nivel del pueblo y en diálogo abierto con él. Pero en esta República Parlamentaria habrá, además, elecciones populares al través del Parlalamento, con estricta periodicidad.

PERIODISTA SEGUNDO

En mi calidad de corresponsal extranjero ruego a usted, señor Presidente, que nos hable de la reacción exterior. ¿Ha sido reconocido su gobierno por los demás países del mundo?

HARMODIO

¿Cómo podría dejar de serlo cuando no ha llegado al poder por la violencia sino —caso raro— por haber sido víctima de la violencia de una tiranía militar?

PERIODISTA PRIMERO

Pero, concretamente...

HARMODIO

Concretamente, desde que se inició el movimiento de la juventud hemos mantenido estrecho contacto en secreto con todos los Estados. Ningún embajador ha sido retirado ni está ausente. El anuncio oficial de la continuidad de nuestras relaciones exteriores es cuestión de horas. En cuanto regrese de su viaje el nuevo Canciller, recibirán ustedes todos los detalles.

PERIODISTA TERCERO

Perdón, ¿quién es?

HARMODIO

Su nombre será dado a conocer con los de todos los demás miembros del Gabinete. Pronto, muy pronto. No hemos improvisado cosa alguna y todo fue previsto y preparado.

PERIODISTA SEGUNDO

Invocando otra vez mi calidad de corresponsal extranjero, ¿puedo preguntar, señor Presidente, ¿cuáles son los mayores problemas del país, los más graves?

HARMODIO, *sin vacilar*:

No hay más que uno: el hambre del pueblo.

PERIODISTA PRIMERO

¿Y qué va a hacer el gobierno?

HARMODIO

Alimentar al pueblo con realidades nutritivas, no con promesas. Repito que todo está previsto.

PERIODISTA TERCERO

¿Y cómo, si nuestra agricultura es tan pobre —nula en realidad— fuera de las áreas que controlan latifundistas nacionales y extranjeros?

HARMODIO

Esas áreas serán expropiadas, previa indemnización, para ser entregadas a su dueño legítimo: el pueblo. Las extensas zonas estériles del territorio serán fertilizadas a breve plazo por métodos nucleares, y todo el suelo nacional será productivo. El programa preparado por la juventud y aprobado por el Parlamento prevé y proveerá a todo lo necesario.

PERIODISTA PRIMERO
¿Cuando será designado el Gabinete?

HARMODIO
Ya lo ha sido. El nuevo Primer Ministro cuenta con todos sus elementos constitutivos. Será presentado a ustedes en unos instantes más. Pero aquí se encuentra con nosotros uno de los más importantes miembros del gobierno. (*Abriéndose paso entre todos y trayendo a primer término a Victoria.*) Sin duda conocen ustedes a nuestra hermana Victoria, que tantas pruebas de valor, de bondad, de inteligencia y de amor al pueblo dio durante la Revolución: Ministro del Bienestar Popular.

Flashes de fotos, etc. Félix dirige miradas significativas a Solón y a los cuatro Ministros de cera.

PERIODISTA CUARTO
Pero, ¿y el Primer Ministro y los demás?

HARMODIO
Ahora, ahora. Antes quiero informarles de una enmienda básica a la Constitución, ya aprobada por el Parlamento en sesión secreta. Ningún funcionario —Presidente, Primer Ministro, Secretario del Gabinete, parlamentario, municipal, etc.—, podrá ejercer sus funciones más allá del plazo estipulado y previsto por la Carta

Magna, salvo en caso de emergencia nacional o de guerra con el extranjero. El Poder Supremo pertenece al pueblo, y sólo puede existir incólume por el cambio periódico, rítmico, de sus ejecutivos.

PERIODISTA SEGUNDO

Una vez más como extranjero, debo preguntar, señor Presidente, dos cosas. Una es: ¿qué va a ser de los presos políticos?

HARMODIO

Ya no hay presos políticos en este país, y lo demostraré en un momento.

PERIODISTA SEGUNDO

Y dos: ¿qué va a hacerse con los que resulten responsables de los sangrientos acontecimientos que precedieron al advenimiento de usted al poder?

HARMODIO

Habrá justicia buena y pronta para unos, prisión o amnistía para otros, según sus faltas o errores. Economía sana y justicia social son lemas de mi gobierno.

PERIODISTA CUARTO

¿Y las concesiones industriales al extranjero?

HARMODIO

Las que justifiquen y prueben su colaboración en el desarrollo del país seguirán operando sobre la base de un cincuenta y uno por ciento para éste y un cuarenta y nueve para los inversionistas. Las otras serán nacionalizadas.

PERIODISTA SEGUNDO

¿No sobrevendrá acaso un desequilibrio o un caos monetario en el mercado internacional?

HARMODIO

Lo primero que hará el nuevo Secretario de
Finanzas será desvalorizar nuestra moneda hasta el punto necesario para darle solidez absoluta. La medida está en marcha —por eso lo
anuncio— y la banca tomará cuenta y razón de
ella hoy mismo. Quizá lo hizo ya a estas horas.
Nuestro programa monetario fue trazado a tiempo por el mejor experto del país.

PERIODISTA CUARTO

¿Y qué puede decirnos de su programa la hermana Victoria?

VICTORIA

¿No está acaso todo implícito y explícito en el
nombre del nuevo ministerio? Bienestar Popular. Es decir: nutrición, higiene, auxilios médicos, medicamentos, rehabilitación, seguridad social, protección a la infancia y seguro de vejez
para todo el pueblo.

PERIODISTA PRIMERO

¿Habrá un aumento en los impuestos fiscales?

HARMODIO

Una reorganización. No queremos que se re-
pita aquí lo que ha ocurrido en otras repúbli-
cas del Continente, en las que el saldo de una
larga y dolorosa revolución se ha traducido en
la mayor riqueza de los ricos y la mayor pobre-
za de los pobres.

PERIODISTA SEGUNDO

Señor Presidente: el mundo entero está pendiente de la situación de este país y quiere conocer ya el nombre del nuevo Primer Ministro

y la composición del Gabinete. ¿Podemos rogarle. .?

HARMODIO

El mundo entero y yo estamos de acuerdo. Te ruego, Victoria, que hagas entrar —tal como está— al hermano Diosdado, con quien conversé ya ampliamente. ¿Quiere usted acompañarla, general Asdrúbal?

Pequeña pausa suspensiva. Los periodistas anotan febrilmente en sus libretas. Los ex miembros del gobierno forman un grupo más compacto.
Entre Victoria y Asdrúbal aparece Diosdado, bella figura mitad byroniana, mitad renacentista: cabellos largos, camisa abierta, mirada de fuego, manos esposadas. Sensación general ante esto último.

LOS PERIODISTAS, *ad libitum*:

¿Cómo? ¿Qué significa? ¿Por qué las esposas? ¡Que nos expliquen. . !

LOS EX MIEMBROS DEL GOBIERNO, *mismo juego*:

¿Qué es lo que que se propone? ¿Acaso no estaba todo de acuerdo ya? Es inexplicable. No. Es inaceptable si quieres. ¡Claro! ¡Inaceptable!

Insensible a estas voces, Harmodio se dirige sonriendo hacia Diosdado, que lo espera sonriendo, y lo toma por un brazo.

HARMODIO

General Asdrúbal, sírvase entregarme la llave de estas esposas.

ASDRÚBAL

No las tengo yo, señor Presidente. Las tiene la policía militar.

HARMODIO

Hágame favor de recabarlas cuanto antes.

Cruce de miradas entre Harmodio, decisivo, y Asdrúbal, indeciso, y entre éste y los ex miembros y el Presidente del Parlamento. Al fin Asdrúbal se encoge levemente de hombros y sale.

PERIODISTA PRIMERO

Solicitamos que se nos explique esta situación más bien… anómala, señor Presidente.

HARMODIO

Su curiosidad será satisfecha muy pronto, pero estoy seguro de que todos conocen al hermano Diosdado, a quien ven aquí llevando en sus muñecas —¡todavía!— la prueba de que ha estado prisionero desde la noche de los acontecimientos. Todos los demás fueron ya puestos en libertad. ¡Ah, aquí está el señor general!

Asdrúbal, indescifrable pero claramente antagónico, tiende a Harmodio una cadenilla con una llave. Harmodio las recibe, sonríe, toma por un brazo a Diosdado, que sonríe, y lo conduce al vano del balcón.

HARMODIO, *en el balcón*:

Pueblo amado: éste es mi compañero y hermano Diosdado, que puso su vida y su libertad a vuestro servicio porque es también vuestro hermano. Todos lo conocéis y lo amáis. Aparece ante vosotros estigmatizado todavía por el símbolo de una tiranía que felizmente ya ha periclitado. Ante todos vosotros le quito las infames esposas de los delincuentes (*lo hace*) y las arrojo a vuestros pies (*lo hace. Aclamaciones tumultuosas*). Pero fijáos bien: Diosdado, no aprisionado ya por las esposas, sigue estando simbólicamente prisionero. (*Toma a Diosdado por las muñecas, las junta y le levanta las manos.*) Prisionero del amor que siente por todos sus hermanos y del deber que lo hará servirlos hasta el límite de sus fuerzas y aun de su vida como Primer Ministro del país.

DIOSDADO, *al pueblo*:

¡Juro cumplir!

Tumulto entusiasta. Fanfarrias. Diosdado y Harmodio se abrazan estrechamente en el balcón, a la vista por igual del pueblo en la plaza y de los personajes en la escena. Al cabo de un momento vuelven a entrar. Apretones de manos, parabienes y felicitaciones ad libitum. La actitud de Diosdado hacia Félix y los demás ex parece un tanto distante y levemente altanera.

HARMODIO

Señores de la Prensa: el Primer Ministro les dirá cuándo estará en aptitud de comunicarles el boletín con la composición del nuevo Gabinete.

DIOSDADO

Todo está listo. Los espero dentro de media

hora en mi despacho, que ustedes conocen.

Mutis de los Periodistas saludando a los nuevos
y a los ex, que permanecen siempre como estatuas,
pero que recobran su animación al salir la prensa.

EL DOCTOR SOLÓN
Señor Presidente: es mi deber señalar desde luego que no sólo hizo usted insinuaciones y aun
declaraciones sumamente delicadas ante los representantes de la prensa, sino que ha olvidado o
desoído la única recomendación del Parlamento.

HARMODIO
¿Puedo preguntar cuál?

SOLÓN
La de llevar a su gobierno a personas con experiencia probada y confiar la composición de
su Gabinete al señor general Félix, fiel servi-
dor del país durante tantos años.

FÉLIX
Oh, por favor, mi querido Presidente Solón, he
estado mucho tiempo en este juego y nada me
sorprende.

HARMODIO
Un momento. La recomendación de que usted
habla no consta por escrito. . .

SOLÓN
Por razón natural y obvia, señor.

HARMODIO
. . .ni me fue hecha con tanta claridad. ¿O sí,
general Félix?

FÉLIX
Contando con la gran penetración y la expe-

riencia política de usted, señor Presidente, me pareció innecesario hacerlo. Y creo que el asunto no escapó a su comprensión.

HARMODIO

Me adelanté a usted preguntándole si debía formar un nuevo gobierno. Y subrayé "el de los jóvenes". ¿O no?

FÉLIX

Ciertamente, y respeto las razones de usted. Por eso, Presidente Solón, a reserva de correr los trámites del caso, doy por terminada la licencia que se me concedió para ocupar la Presidencia de la República y vuelvo a tomar el mando de mis tropas.

HARMODIO

Eso, entiendo, requiere mi autorización.

ASDRÚBAL

No del todo, señor Presidente, según el reglamento interior de la Defensa.

HARMODIO

¡Ah!

ASDRÚBAL

Puede certificarlo el Secretario de Guerra, aquí presente. (*Movimiento afirmativo de cabeza del Ministro o muñeco.*)

HARMODIO

¿El ex Ministro, quiere usted decir? Le recuerdo, general, que con apego a la Constitución yo soy el jefe nato del ejército, y le informo que en mi Gabinete el Ministro de la Guerra será un civil como lo publicará hoy la prensa, y no autorizará, por razones obvias, la vuelta al mando del general Félix.

DIOSDADO

Nuevo reglamento, señores.

FÉLIX, *peligrosa sonrisa*:

En ese caso, señor Presidente, solicito permiso para retirarme.

HARMODIO

Un momento aún. Creo recordar que en los últimos meses de su ejercicio en la Presidencia, su gobierno —del que sólo veo aquí algunos miembros menores— careció de Primer Ministro.

FÉLIX

Una grave enfermedad, en efecto, nos privó de las luces del doctor Ricardo.

DIOSDADO

Su mal más grave, acuérdate, Harmodio, fue que se negó a sancionar la orden de disparar sobre los jóvenes.

VICTORIA

Y eso fue lo que lo mató.

FÉLIX

¡Es una calumnia!

SOLÓN

¡Sostengo lo que dice el general Félix!

HARMODIO, *peligrosamente tranquilo, aunque dos o tres veces se lleva la mano al cerebro evidenciando dolencia*:

Alto, señores. Antes de acalorarnos, quisiera hacer dos preguntas. Una: ¿debo entender que esta actitud del Presidente del Parlamento y del ex Presidente de la República implica una protesta por la designación del nuevo Primer Ministro?

FÉLIX

Un Primer Ministro sin experiencia pondrá al país en peligro de muerte cívica y económica.

SOLÓN

Debo repetir que se ha faltado al compromiso propuesto por el Parlamento.

HARMODIO

Yo no acepté compromiso alguno. Me limité a escuchar una insinuación —ya lo aclaramos antes— del general Félix, y no contesté a ella.

SOLÓN

Si me permite decirlo, señor Presidente —soy hombre de ley y soy franco— carece usted todavía de experiencia política.

HARMODIO

Eso lo creo, si para ustedes la política es sólo un juego sucio de toma y daca, de intereses personalistas y de insinuaciones supuestamente sutiles.

SOLÓN

¡Señor Presidente, debo. . !

HARMODIO

Señor Presidente del Parlamento: le prometo aprender más a fondo el arte política según la considera usted. Pero dije dos preguntas, y me falta una. ¿Debo entender que a causa de la ausencia por deceso del Primer Ministro Ricardo, la orden de disparar sobre el pueblo y la juventud emanó del ex Presidente Félix y fue sancionada por el Parlamento? (*Silencio.*) Exijo una respuesta, señores.

FÉLIX

Ante una emergencia, ante un trastorno de alta

gravedad del orden público, el Presidente tiene las facultades necesarias para salvar al país de una catástrofe.

VICTORIA

¡Sí, claro, asesinando! ¡Asesino!

HARMODIO

¡Silencio, Victoria!

SOLÓN

Y el Parlamento, convencido de la integridad y la buena fe del Presidente, tiene el deber de sostenerlo y de ampliar más aún sus facultades.

DIOSDADO

¡El ABC de la política según ellos, Harmodio! Ayudarse los unos a los otros en sus infamias. Tratan de alfabetizarnos.

HARMODIO

Ya lo veo.

SOLÓN

Señor Presidente: dejemos esta disputa sin sentido ni objeto. Está usted a tiempo de rectificar, y tenga en cuenta que hablo en nombre del Parlamento. El Primer Ministro Diosdado puede dimitir o retirarse por falla técnica en la composición del Gabinete —la Constitución lo prevé— y usted puede llamar a otro ciudadano para formar el gobierno. Le ruego que considere la experiencia de nuestros hompres políticos para bien del país...

HARMODIO, *como si tomara en sus manos un objeto extraño*:

¿Bien?

SOLÓN

...o yo no tendré más remedio que convocar

al Parlamento para enderezar las cosas y po-
nerlas en buen orden —siempre con usted a la
cabeza, claro.

HARMODIO

¿Ah? ¿De mascarón de proa? (*Pasea un poco,
las manos atrás. En un momento se toca el cerebro.*) Ah.

VICTORIA

¿Te sientes mal?

HARMODIO

Me duele la contusión todavía. El medicamento está en el buró en mi alcoba. Lo tomaré
después.

FÉLIX

Perdóneme usted, señor Presidente. ¿No es éste?
Recuerdo que le di una dosis en la alcoba y
por distracción conservé el frasco. (*Se lo tiende.*)

HARMODIO

Curioso. Yo no lo recuerdo. (*Examina el frasco,
lee la etiqueta.*) Gracias, general. (*Lo guarda
en su bolsa y pasea un poco todavía.*)

SOLÓN

Le ruego que nos haga conocer su decisión,
señor Presidente.

HARMODIO

En seguida, señor Presidente del Parlamento.
General Asdrúbal: como mi Jefe de Estado Mayor, se servirá usted arrestar desde luego al señor
general Félix y a los miembros de su Estado
Mayor, al jefe de la Policía Militar y sus ayudantes, al Inspector de Policía y su personal
inmediato y los hará pasar por las armas en
seguida bajo el cargo de delitos contra el pue-

36

blo y la seguridad nacional. En cuanto al señor Presidente del Parlamento, le dará usted por cárcel su casa desconectando sus teléfonos hasta nuevo aviso y con vigilancia de veinticuatro horas diarias.

ASDRÚBAL

Perdón, señor Presidente, pero yo soy militar de carrera y no puedo cumplir órdenes semejantes salvo en caso de emergencia o de guerra —que no existe—, o después de la sentencia dictada por un tribunal competente.

HARMODIO

En ese caso, considérese usted también arrestado. (*Va hacia un timbre.*)

DIOSDADO

Un momento, señor Presidente. Igual que tú, yo abrigo el convencimiento de la culpabilidad de estos señores, pero como tu Primer Ministro te recuerdo que nuestro gobierno no puede apelar sin mancharse a métodos tan parecidos a los suyos. Y soy de la opinión del general Asdrúbal: tiene que haber un juicio. Los acusados que señalaste serán enviados a prisión y dispondrán de todos los medios para su defensa.

SOLÓN

¡Yo soy el Presidente del Parlamento!

DIOSDADO

Mi primer acto como Jefe del Gobierno será solicitar su desafuero, señor Presidente Solón.

HARMODIO

Bien. Hágase así, Diosdado. ¿Qué dice usted ahora, general Asdrúbal, militar de carrera?

ASDRÚBAL, *con esfuerzo*:

Obedezco, señor Presidente.

HARMODIO

Y recuerde que usted no está arrestado —todavía.

Diosdado abre la puerta y hace una señal. Aparecen los guardias de asalto. Los detenidos salen, al final de la línea el doctor Solón y detrás el general Asdrúbal.

Oscuro,

que debe indicar el paso de varias horas, del mediodía a la noche. Puede marcarse el tiempo con las campanadas de un reloj o con la proyección de otro sobre cuya carátula se mueven las manecillas de izquierda a derecha, o por un simple cambio de luces.

La sala de consejo con la luz eléctrica encendida ahora. Quedan en escena sólo Harmodio y Diosdado, que tienen aspecto de intensa fatiga, y Victoria, que fuma nerviosamente. Diosdado termina una conferencia telefónica.

DIOSDADO

Gracias. ¿Algo más?

HARMODIO

¿Bien?

DIOSDADO, *al teléfono*:

Eso es. Manténganse en comunicación continua conmigo. Gracias. Salud, hermano. (*Cuelga. A*

Harmodio:) Los cuarteles han sido ocupados todos por nuestra gente. No hay desorden alguno. Para asombro mío, aparecen gran cantidad de militares leales, o por lo menos descontentos de Félix y de las porquerías pasadas.

HARMODIO

Avísame de cualquier cosa.

DIOSDADO

Claro. Me voy ahora. Tengo otra conferencia de prensa con motivo de los arrestos. ¿Debo informarlos del proceso con detalle de los cargos?

HARMODIO

Desde luego.

Se dan la mano, un apretón firme, franco, afectuoso. Harmodio, mientras sale Diosdado, va hacia Victoria, sentada, que fuma pensativa, y le tiende las dos manos:

HARMODIO

¿Qué dices ahora, hermana Victoria? ¿Sigo soñando?

VICTORIA

Temo que sí. Estamos en un terreno totalmente desconocido, aunque sea el corazón mismo de nuestra patria. Estamos en arena movediza, Harmodio.

HARMODIO

¡Pesimista! Todo está controlado. El triunfo es completo. ¿Sabes qué pensé mientras te presentaba a la prensa hace... siglos ya?

VICTORIA

Hace rato que no sé ya lo que piensas.

HARMODIO

¡Espléndido! Quiere decir que aprendo la política a pasos agigantados y que ya soy la esfinge. Es algo inseparable de un gobernante, ¿sabes?

VICTORIA

¡Eres tan niño aún. . . señor Presidente! Pero dime qué pensaste.

HARMODIO

Que debemos casarnos.

VICTORIA

¿Quiénes?

HARMODIO

Tú y yo, pero entre nosotros, no cada uno por su lado.

VICTORIA

Oh, por favor. No te dejes llevar por la euforia del triunfo. No has ganado más que el primer round.

HARMODIO

¿O no me quieres?

VICTORIA

Tú sabes que sí. Pero tenemos tanto quehacer, tantos peligros y asechanzas al frente. . . Esperemos, Harmodio, somos jóvenes, tenemos tiempo.

HARMODIO

Justamente por eso no lo tenemos. En la pelea de hoy me di cuenta de que ya no tengo edad —o de que tengo un siglo, de que me he salido del calendario. ¿Lo pensarás mejor?

VICTORIA

Mejor no lo pensaré si he hacerlo. Pero esperemos, Harmodio.

Él la hace levantar, la toma en sus brazos y trata de besarla. Breve lucha en la que ella echa la cabeza hacia atrás con energía al mismo tiempo que ríe con cierta felina crueldad.

HARMODIO, *excitado*:
   ¡Victoria!
HARMODIO
   No, Harmodio. ¿Ya no me conoces? No soy la presa del macho triunfante.

Él la suelta, ella se aparta. Los dos guardan un silencio un poco jadeante. Un toquido en la puerta. Aparece el Mayordomo.

MAYORDOMO
   Señor Presidente, perdón. Esta persona insiste en verlo en seguida. Dice que es muy urgente. (*Tiende una tarjeta:*) ¿Debo despedirla?
HARMODIO, *lee la tarjeta y se la guarda en el bolsillo mientras una fugaz sonrisa enciende sus labios*:
   ¿Quieres dejarme solo un momento, Victoria?
VICTORIA
   ¿Es algo grave?
HARMODIO
   No lo sé. Para saberlo debo estar solo.
VICTORIA
   ¡Ten cuidado!
HARMODIO
   Lo tendré. Te llamaré cuando termine.

Victoria lo mira profundamente, moviendo la ca-

beza; él siente la mirada y vuelve a sonreír ape-
nas. Ella sale.

HARMODIO, *al Mayordomo*:

Que pase esa persona. (*Va hacia el balcón, aho-*
ra cerrado, mira hacia afuera apartando los vi-
sillos un poco, respira profundamente y refle-
xiona.) ¡El poder! ¿El poder? ¿Cuál es y dónde
está?

Se oye abrir y cerrar la doble puerta. En el marco
aparece una muchacha exquisita, alta, rubia, finí-
sima —toda mujer y toda la mujer como en el
estuche de cristal de una virgen— que se detiene
en silencio. Harmodio la mira, incrédulo, la mide,
la analiza, la desnuda con los ojos y se acerca
lentamente a ella.

HARMODIO

No esperaba. . . por el tono de esa tarjeta anó-
nima. . .

ALMA

Buenas noches, señor Presidente.

HARMODIO

Así es como empiezan los sueños. Perdón: estoy
deslumbrado. No sabía, no creía, no imaginaba
que pudiera existir semejante belleza en el
mundo.

ALMA

Mi fealdad o mi belleza le pertenece a mi prometido. ¡Buenas noches, señor Presidente! (*Le*
apunta con un pequeño revólver calibre 22 que
traía oculto en las dos manos.)

42

Harmodio sonríe y la desarma rápidamente, sin lastimarla, antes de que pueda disparar.

HARMODIO

¿Tan linda y tan mortífera? ¿El sueño de la vida y el sueño de la muerte? (*Examina la pequeña pistola.*) ¿Y creía poder matarme con el seguro puesto? (*Alma se deja caer en la silla más próxima y llora de rabia.*) Vamos, vamos, ¡vamos! Cálmese usted y dígame por qué quería matarme. Tengo el poder de aprisionarla por esto, pero no lo usaría nunca. Me fascina usted. ¿Quién es? Su tarjeta no lo decía. (*Silencio de Alma.*) Decía sólo "una mujer". Creo que la he visto en alguna parte. ¿En una escuela? ¿En una foto de prensa, en un baile... o en un sueño? Más bien lo último, porque he soñado con usted toda mi vida. (*Juega con la pistola.*) ¿Por qué quería hacer pum pum, dígame? ¿No sabe que no pudieron matarme las balas más grandes de los tiranos?

ALMA

¡Cállese!

HARMODIO

Si me callo, ¿hablará usted? (*Impaciente ante el llanto casi histérico de ella.*) ¡No lloriquee ya!

ALMA

Lloro de rabia por mi torpeza... y porque ahora tengo que humillarme.

HARMODIO

¿Y pedirme algo sin duda?

ALMA

La vida de mi prometido. Lo aprehendieron hoy.

HARMODIO

¿Quién es?

ALMA

El Capitán Heracles.

HARMODIO

Entiendo: uno de los asesinos de hace tres días.

ALMA

Es militar y obedeció órdenes. ¿Qué puede usted entender de eso si no es más que la revolución y el caos?

HARMODIO

Es usted bella como una diosa y estúpida como una colegiala. La dictadura es el caos y la revolución es la luz. ¿Qué edad tiene su prometido?

ALMA

Veinticinco años.

HARMODIO

¡Ah! Y pudo matarme a mí, que tengo veintidós y mató sin duda a varios que tenían diecisiete. Ése es su prometido: una pistola protegida por un uniforme.

ALMA

¡Es usted odioso! (*Reacciona con esfuerzo. Aprieta los puños y los dientes.*) Perdón. Debo pedir perdón a pesar mío. No tiene usted derecho a matarlo. Quiero su vida.

HARMODIO

Dígame: ¿de quién fueron las órdenes que obedeció el capitán Heracles?

ALMA

De su jefe. Era el primer ayudante del general Félix.

HARMODIO

Ah. ¿Sabe usted que habrá un proceso?

ALMA

Lo oí por radio. Por eso vine en seguida.

HARMODIO

Si su prometido tiene una exculpante no será condenado.

ALMA

Lo será, ¡lo será porque usted quiere acabar con todos ellos!

HARMODIO

No es verdad. La justicia de mi gobierno será diferente, nueva. Será justa. (*Ella ríe con amargura, él se yergue colérico.*) Puede usted retirarse.

ALMA

¡Quisiera poder creerlo, y vuelvo a pedir su vida!

HARMODIO

¿Cómo se llama usted?

ALMA

Alma.

HARMODIO

Es un nombre que me ha obsesionado toda mi vida. Le diré una cosa. (*Mira su reloj.*) Son las ocho y treinta. La espero a las diez en mis habitaciones privadas y allí resolveremos el asunto.

ALMA

¡Ya lo sabía yo! ¡El hombre puro, el líder de

la juventud!

HARMODIO

Sabía usted ya entonces que iba a fascinarme. Bien, me fascina... y podría ser la mejor corona para mí en esta hora de triunfo.

Se acerca a ella e inicia una caricia. Alma se yergue, se levanta, se aparta.

ALMA

¡Ah, no! ¡Nunca!

HARMODIO

Creí que quería usted la vida de su prometido.

ALMA

¡No así! ¡Dije nunca! Y ahora lo veo tal como es usted: traidor y desleal...

HARMODIO

¿Qué dice usted?

ALMA

...a su causa y a sus amigos. Soy también hija del general Asdrúbal. Así paga usted a sus servidores leales.

HARMODIO

Ah. (*Reflexiona, se frota el cráneo.*) Alma, la esperaré a las diez. Venga, confíe en mí y en su poder de fascinación. No me gusta amenazar, pero también su padre puede ser arrestado todavía. ¡Venga!

Alma corre hacia la puerta, la abre y sale. Harmodio sonríe ampliamente pero en seguida vuelve el dolor. Al cabo de un instante entra Diosdado, que se detiene y lo observa con curiosidad y atención.

HARMODIO

¿Por qué me miras así?

DIOSDADO

Tienes tu sonrisa de hondazo, la conozco. ¿Ha ocurrido algo? ¿Ese visitante que tuviste..? Creo que no lo envidio.

HARMODIO

Cosa mía, hijo... ¿Sabes que sigue doliéndome mucho el golpe? Por eso sonreía.

DIOSDADO

Lo siento. Entonces era una sonrisa de estoico.

HARMODIO

¿Novedades?

DIOSDADO

Todo en orden. Quedan unos cuantos polizontes por detener. Caerán pronto. Pero Victoria espera y trae algo que no quiso decirme.

HARMODIO

Hazla pasar, ¿quieres?

Mientras Diosdado abre la doble puerta, Harmodio vuelve a frotarse la contusión.

VICTORIA, *entrando*:

Acaban de decirme que ha empezado una agitación en el partido a propósito del Gabinete. Cada sector pretende que le prometiste una cartera.

HARMODIO

Es cierto. Le corresponde una a cada uno.

VICTORIA

¿Qué vas a hacer entonces?

HARMODIO

Diosdado está al tanto de todo, y él se encargará de resolver y de evitar problemas. Es cosa enteramente suya.

VICTORIA

Hasta ahora sólo le preocupa su propio sector, el Gamma. Mis Deltas se quejan de. . .

DIOSDADO

Tus Deltas no tienen el menor motivo. ¿No eres tú miembro del Gabinete?

VICTORIA

Delta tiene derecho a dos carteras considerando su contingente, que es tres veces mayor que. . .

HARMODIO, *impaciente, mirando su reloj*:

Eso me harán favor de discutirlo entre ustedes. Confío en el buen sentido de los dos, y para eso tenemos un Jefe de Gobierno. A propósito, Primer Ministro, ¿hay noticias de Ascanio?

DIOSDADO

Según su último mensaje, nuestro Canciller llegará entre esta noche y mañana. Lo esperará el grupo de Relaciones y en cuanto haya hablado conmigo informará a la prensa y al pueblo que el reconocimiento exterior es unánime con excepción de los Estados con los que no mantenemos relaciones. Y quizás algunos de éstos las propondrán. Todo va bien.

VICTORIA

Así lo espero. . . fervientemente. ¿Aceptó la Casa Blanca?

DIOSDADO

Aceptará. Se discuten condiciones todavía. Y si

48

no acepta, ¿qué? Seguirá perdiendo prestigio.
Y ahora podemos vivir sin ellos, ¿no?

VICTORIA

¡Ojalá!

HARMODIO, *de buen humor*:

Ya, pajarraquito de mal agüero. Ay. (*Se lleva
la mano al cráneo.*)

VICTORIA

¡Toma tu medicina, testarudo!

HARMODIO

Ahora, ahora. Quiero saber hasta dónde puedo
resistir el dolor. Diosdado, es preciso que toda
la maquinaria se ponga en marcha desde mañana.

DIOSDADO

Tu reloj atrasa, Presidente: todo está en marcha ya.

HARMODIO

No podemos fallar.

DIOSDADO

No fallaremos. Duerme tranquilo.

HARMODIO

Recibiré al Cuerpo Diplomático dentro de cuatro días. Dilo a Ascanio y que él lo anuncie,
¿quieres? Ahora vayamos a dormir. Me parece
que tengo sueño. (*Mira su reloj. Sonríe.*) ¿Qué
cosa es aquello que es corto cuando lo queremos largo, interminable cuando lo queremos
breve?

VICTORIA

¿No tienes algo que hacer todavía?

HARMODIO

¿Qué?

VICTORIA

La... persona que estuvo a verte...

HARMODIO

¿De qué hablas? (*Sonrisa. Victoria se muerde los labios.*) Anda, hermana, y descansa. (*La besa en la mejilla.*) Estamos en plena realidad, muchachos. Ya no hay sueños. Haremos maravillas con este país tan pequeño y tan maravilloso en sí mismo.

VICTORIA

Sin embargo, ten cuidado. Procura no equivocarte.

HARMODIO

¿En qué?

VICTORIA

En... nada. En NADA.

HARMODIO

¿Hablas en clave?

VICTORIA

Hablo de tu... programa de esta noche. Sé quién es la persona.

HARMODIO

¡Basta, Victoria! Ni una palabra más.

Llaman con firmeza a la puerta. Diosdado va a abrir sobre una señal de Harmodio. Entra el general Asdrúbal.

ASDRÚBAL

Señor Presidente, todas sus órdenes han sido cumplidas y las personas acusadas se encuentran en la prisión militar.

50

HARMODIO

Su informe viene a tiempo, general. Gracias.
¿El doctor Solón?

ASDRÚBAL

Todas las órdenes de usted quedaron cumplidas.

DIOSDADO

Entonces iniciaremos el proceso desde mañana.

HARMODIO

Eso es. (*Mira otra vez su reloj.*) Ahora, buenas noches a todos.

ASDRÚBAL

Perdón, señor Presidente, pero es parte de mis deberes escoltarlo a usted hasta su alcoba y ver que queden dos ayudantes de guardia.

HARMODIO, *muy contrariado*:

¿Grandeza y servidumbre presidencial? Bien. Vayamos ya entonces. (*Abraza a Diosdado y besa en la otra mejilla a Victoria.*) ¡Confianza, hermanos! ¡Por nuestra tierra! (*La mano al cerebro.*)

VICTORIA

¿Ves? ¡Toma el comprimido!

HARMODIO

El general me lo dará en la alcoba. (*Le tiende el frasco.*) ¿O no es esto parte de sus funciones también? (*Asdrúbal se yergue, parece que va a hablar pero aprieta los labios.*) Hasta mañana, hermanos. (*Se dirige hacia la puerta seguido por Asdrúbal.*)

TELÓN

INTERLUDIO

Un solo reflector ilumina nuevamente en el ángulo derecho de la escena el tablero de la emisora de radio y la máscara que representa al Locutor II.

LOCUTOR II

Con profunda emoción este servicio nacional debe informar al público que el señor Presidente Harmodio, que acababa de asumir la primera magistratura del país, ha desaparecido sin dejar rastro ni indicio alguno. Creador, jefe y representante supremo del Partido Fraternal de la Juventud, oráculo y guía inspirado de la Nación, su ausencia ha sembrado hondo desconcierto y creciente zozobra en todos los ámbitos de nuestro territorio. Parece haberse producido un cisma en el seno del Partido Fraternal de la Juventud —el partido más importante, el oficial en rigor— entre los diferentes sectores que representan las diversas corrientes de ideología de izquierdas, que se acusan unos a otros del secuestro del señor Presidente. Ante esta situación, el Primer Ministro Diosdado, que tomó posesión hace dos días, ha decretado un estado de emergencia nacional. La policía y el ejército se encuentran acuartelados y las manifestaciones populares cunden en todos los distritos del país. En vista del arresto domiciliario del doctor Solón, Presidente del Parlamento, se espera de un momento a otro una interpelación parlamentaria al Gobierno. Por otra parte, el Canciller Ascanio, que acaba de regresar de un largo viaje, ha declarado que la inexplicable desaparición del Presidente ha suspendido momentáneamente todos los trámites del reconocimiento del nuevo Gobierno por las naciones extranjeras. Pronto seguiremos informando sobre este sensacional asunto, que aflige al país entero. Transmitimos en cadena nacional. Conserve su radio en función de recepción. ¿Dónde está el Presidente? Si usted lo sabe, díganoslo cuanto antes. ¡Viva la libertad nacional, obra del Presidente Harmodio!

Se apaga el reflector. Breve pausa.
En la oscuridad, que se reduce gradualmente hasta alcanzar una especie de luz de acuario confusa y sucia, aparecen los contornos —como insinuados apenas— de una celda o mazmorra en el interior de una fortaleza que data de la Colonia y en la que no hay sino un alto respiradero, mejor que ventanillo, parecido a una lumbrera medieval, por el que penetra, a minúsculas gotas creeríase, la claridad descrita que sólo con esfuerzo permite percibir la figura de Harmodio, tirado en un camastro y dormido en apariencia por unos instantes. (Puede resultar conveniente el empleo de luz negra.) Pasados esos instantes, Harmodio exhala un hondo suspiro que termina en un ay. Se agita y se incorpora lentamente. Conforme recobra la conciencia, nublada aún por el efecto de un hipnótico, se sienta en la cama, los pies en tierra, y se esfuerza por mirar en torno suyo.

Otra vez —otra vez— ¡otra vez! ¡Otra vez y siempre sin luz y sin aire! ¿Por qué? ¡Pero yo soy el Presidente! ¡Hola! ¡Alguien! ¡Abran aquí!

Su voz reverbera extrañamente, como si fuera de cristal y se hiciera pedazos contra los gruesos muros. Harmodio se levanta y los toca con los puños cerrados, sin golpearlos.

¿Soy en efecto el Presidente? Y si lo soy, ¿por qué estoy aquí? ¿O sigo soñando y tenía razón Victoria? ¿Dónde está la alcoba de Los Olivos? ¿Dónde está Victoria? No... esto es una pesadilla sin duda y aquello era un sueño. ¿Dónde está el sueño ahora?

Distingue al fin una puerta baja y estrecha, se arroja contra ella y cae al suelo por efecto de su propio impulso. Ríe ásperamente.

Pero esto no es sueño. Es real. Estas paredes son reales: tienen siglos de serlo. (*Bosteza.*) Curioso: tengo sueño. ¿He dormido? ¿Duermo ahora? Y si duermo, ¿cómo pasó? Yo no tenía sueño. Dije que lo tenía, pero era mentira: tenía una cita. ¿Entonces? ¡Ah, el medicamento! ¿Quién me lo dio? (*Reflexiona dolorosamente, dijérase.*) Sí, claro: el general Asdrúbal. ¿Y quién es Asdrúbal? ¿Existe siquiera? (*Pasea, frotándose las sienes y la base del cráneo.*) ¿Asdrúbal o..? No puedo ver nada... ¡nada! (*Pasea.*) Veamos. Calma. Objetividad. Estoy preso sin duda. Pero, ¿por qué? ¿Y por qué aquí, y qué hice para merecerlo? Nacer es malo, claro. Es... idiota. Un error que se paga viviendo. Pero querer inventar la libertad es peor. Es pasar toda la vida muriendo de sed... de una sed inextinguible que acaba por matar. Libertad. ¿La libertad? Sí. El ave, "flor de pluma o ramillete con alas", el bruto "con su piel de manchas bellas", el pez, "bajel de escamas", el arroyo, "culebra de cristal", cada uno en su elemento, tiene el derecho, la vida que a mí se me niega. Pero entonces, ¿qué derecho a ser libres tienen las moscas conductoras de gérmenes, las arañas tejedoras de redes mortales de polvo, las alimañas todas que reptan y que chupan sangre, las ranas demagogas que croan y el sapo repelente que adula y envenena con su baba; los carceleros, los asesinos de jóvenes, las sierpes enroscadas en el árbol político, escondidas bajo la piedra de la mentira para saltar sobre el hombre y destruirlo; los verdugos, los hemipléjicos del alma, los gusanos que libremente nos devoran? ¿Y no soy libre yo, que no quería solamente ser libre sino dar a los demás hombres el fuego de la libertad? ¡Prometeo de cenizas, triste Prometeo! Pero, ¿qué otra cosa puede dar el fuego? (*Rie acerba pero brevemente.*) Calor fugaz y cenizas heladas, indesplazables, indisipables. ¿Es éste mi castigo por haber querido ser libre y dar libertad? La justicia no parece ser más que un pulpo, un boa constrictor, una cárcel infinita, esta mazmorra. Si soñé o si sueño, o si no sueño ni soñé, ¿qué hice de malo cuando fui presidente? ¿Pedir el castigo de los asesinos en nombre de la justicia verdadera, ideal, y de la libertad humana? Y, sin embargo, matar a esos hombres sería salir del sueño y regresar a la pesadilla. ¿Y dónde termina la pesadilla y dónde empieza el sueño? Ya sé que la libertad no es sino otro espejismo. ¿Cuándo ha sido libre el hombre, si lo pienso a fondo? ¿Cuándo ha tenido en verdad luz y aire y espacio? Mira a aquellos privados de la luz de la inteligencia, con la cabeza y el alma llenas de impenetrable oscuridad; a los que no tienen aire para sus sentimientos que se ahogan y se pudren en ellos y los gangrenan sin remedio; a los que no tienen espacio para los impulsos de su corazón que acaba por petrificar la parálisis. ¿Son libres acaso? Los cadáveres que se mueven, los que sufren la asfixia de la voluntad, los esclavos de la pasión, del sexo, del dinero, del poder, de la llamada fe cristiana. ¡Enfermos y prisioneros todos! El hombre libre se da sólo con la muerte... los mártires son los dueños de la libertad. Ésa es la historia del mundo y ése es el mundo. ¿Hay que morir entonces? Bien: estoy listo. ¡Ah, pero basta de todo esto ya! Primero necesito, debo, ¡quiero salir de aquí! ¿No hay en el mundo entero quien me oiga? ¡Los míos me esperan! ¡Tengo que salir! ¡Alguien! ¡Alguien! ¡Alguien!

Oscuro.

Otra vez se enciende el reflector iluminando el tablero de la emisora y la máscara del Locutor I.

LOCUTOR I

Este boletín es difundido en cadena nacional y solicitamos para él la atención de todos los habitantes del país. ¡Atención! ¡Atención! ¡Atención! Ante la interpelación parlamentaria que tuvo lugar esta mañana —excepcionalmente en sesión secreta debido al estado de emergencia que prevalece— y la amenaza de una huelga general votada por todos los sectores una vez más reunificados del Partido Fraternal de la Juventud, el Primer Ministro Diosdado esclarece el misterio: El Presidente Harmodio se encuentra recorriendo el país de riguroso incógnito para establecer contactos personales, directos, vivos, con todas las comunidades de la población, en especial las indígenas. Su presencia y su paso han sido señalados al norte, al sur, al este y al oeste, sin que sea posible determinar con precisión en cuál área geográfica se encuentra por ahora. El Primer Ministro se rehusa a revelarlo por razones de seguridad. Escuchemos sus palabras.

LA VOZ DE DIOSDADO

Pueblo hermano: no me dirijo a ti con sustento en la autoridad de que fui investido por nuestro Primer Mandatario, sino como tu hermano y como tu siervo, para pedirte que conserves tu ecuanimidad y tu calma, que mantengas encendida tu confianza y que esperes con paciencia, expectación y fe su regreso, que considero ya inminente. Piensa, sobre todo y ante todo, que en cualquier parte que se encuentre Harmodio está trabajando por ti, por tu bienestar y tu libertad, y que su viaje obedece a elevadas razones que se refieren todas a tu mejoramiento y a tu progreso. Pronto, estoy seguro, escucharás sonar su propia voz explicándote sus motivos. En su nombre te pido que lo esperes y que le guardes tu amor y tu fidelidad como él te guarda los suyos. ¡Viva la libertad! ¡Viva la Patria! ¡Viva Harmodio!

LOCUTOR I

Si bien la inquietud popular se ha calmado un tanto gracias a las declaraciones ministeriales, debemos señalar que la impaciencia por el retorno de nuestro gobernante va en aumento y que todas las clases sociales que componen a la Nación piden por él cada uno a su manera en las casas y en las iglesias, en los campos labrantíos y en las fábricas.

LOCUTOR II

El proceso incoado contra algunos miembros del gobierno precedente, depuesto por los sucesos de hace más de una semana, continúa su marcha y se esperan conclusiones muy en breve. Recordemos que la acusación que pesa sobre ellos es muy grave, ya que se les culpa de crímenes de lesa patria, de abuso del poder y de delitos contra la seguridad del país y la vida de sus nacionales. Pronto podremos informar en mayor detalle. ¡Viva la libertad nacional, obra del Presidente Harmodio!

Oscuro.

Al reencenderse la claridad dudosa y sucia de la

mazmorra, aparece en escena Harmodio, paseando
a un ritmo creciente. Al cabo de un momento
desesperadamente golpea muros y puerta.

HARMODIO

¡Alguno! ¡Alguno! ¡Alguno! (*Espera, se lleva
las manos a las sienes y se las frota como si es-
tuviera a punto de un paroxismo.*) ¡Nadie!
¡Nunca nadie! (*Se deja caer sentado en su camastro y, el mentón entre las manos, reflexiona
con intensidad.*) Soñé. Volví a soñar sin duda.
Pero esta pesadilla, entonces, es parte del sueño, su sombra, su cuaresma, su estación de se-
quía, su reflejo deformado por espejos cóncavos
o convexos. ¿Dónde está el sueño entonces, el
sueño de ser Presidente, de tener a Alma y de
ser amado por ella? ¿Existe Alma siquiera, o
es sólo "ficción, ilusión, frenesí, sombra", lo
que es la vida, en suma, y por ser la vida, lo
que es el sueño? No sé si el sueño es hijo de
la vida o la vida criatura del sueño. No sé nada
ya. Extraño y largo viajé éste, inmóvil, que parece haber durado toda mi vida y que no me
lleva a ninguna parte fuera de mí mismo, es
decir, de la mayor, de la más infinita distancia
que pueda recorrer el hombre. Tengo que ver
claro ahora: soñé seguramente porque quería
ser libre de soñar siquiera y ahora soy prisionero y esclavo de mis sueños como todos los
hombres, y, como todos, me equivoqué y pensé que soñar era estar despierto y que el sueño
es acción cuando no es más que engaño y su-
frimiento. Me soñé ángel liberador y quise re-

hacer y mejorar al mundo en mi patria. Me
soñé presidente y, soñando, en pocos instantes
fui soberbio y colérico y condené a morir a
hombres que a pesar de todo eran mis hermanos, y, esclavo del sexo, codicié y quise poseer
a la belleza en una mujer que no era mía.
¿Hay, pues, sueños de bien y hay sueños de
mal? ¿Y es tan grave mi culpa y nadie acaso
antes que yo se dejó llevar por esta mentira
que nace con el hombre? ¿Dónde están los sueños de antaño: los buenos y los malos, los de
Caín, los de Cristo despertando en la cruz, los
de Atila y Aníbal y Alejandro, César y Napoleón? ¿Acaso no soñaron todos? ¿Bolívar, que
despierta de su sueño para verse arando en el
amargo mar de la realidad... Hidalgo, que despierta en la picota de Granaditas, y Morelos,
que abre sus ojos en Ecatepec ante los fusiles
del pelotón de ejecución? Todos ellos soñaron
que eran ellos y lo soñaron hasta despertar. ¿Y
dónde están los sueños del presente? Madero
asesinado, Lenin, Mussolini, Hitler y Stalin, los
constructores y los destructores, los sueños buenos y los sueños malos pero sueños todos, los
creadores y los genocidas, los sacrificadores y los
apóstoles. Todos han despertado "en el sueño
de la muerte". Ay, nada más los sueños de los
poetas viven para siempre, sin despertar ni sombra. ¿Soñé yo, pues, y sigo aquí soñando como
el rey, como el rico y como el pobre, como "el
que afana y pretende", como "el que agravia y
ofende", como el loco y como el cuerdo y no
lo entiendo tampoco? ¿Y solamente muriendo

llegaré a la otra playa, a la ribera de mi verdad y de mi realidad? Sueño, sombra perenne del hombre, que lo precede y lo sigue en todas sus edades... y espejo fiel, única imagen de su soledad sin fondo y sin fronteras. (*Reflexiona un poco, mirando hacia el ventanillo en busca de luz.*) Pero entonces, si aquello fue sueño y esto es despertar, quizá podré soñar de nuevo y obrar entonces con sapiencia y bondad, con un profundo sentido de lo humano, pensar con luz y prolongar el sueño al infinito... hasta el no despertar. Porque ése es el secreto, ésa es la meta que han perseguido todos en el mundo antes de mí, y que perseguirán aún después de mí si no vencemos hoy, si no logramos cambiar este mundo de locos, de suicidas y asesinos en un mundo mejor, eternizando el sueño por nuestras acciones y por nuestro dolor. Evolución es creación. Estamos ante un mundo nuevo y el mundo no puede evolucionar en vano. Es preciso que ya no haya despertar. Ésa es mi batalla. La Biblia dice: "No se hará la noche." Nosotros decimos: "¡No habrá ya despertar!"

Se levanta en un gran impulso, pero se detiene, se lleva el puño derecho al corazón y respira hondamente.

Pero, ¿y si *esto* fuera el sueño?

Se deja caer en el camastro, esconde la cabeza entre las manos y llora mansamente. Una suerte de

61

tumulto lejano se deja oír apenas y crece y se acerca. De pronto, golpes de hacha en la puerta. Harmodio se levanta de un salto. Se oyen:

VOCES

¡Harmodio! ¡Harmodio! ¡Harmodio! Somos los tuyos, tus hermanos, los hermanos de Victoria!

HARMODIO

¡Aquí estoy! (*Se adelanta hacia la puerta.*)

VOCES

¡Vivo! ¡Está vivo! ¡Tómenlo en hombros! Arriba Harmodio hermano! ¡Viva la libertad! ¡Vivan los jóvenes!

HARMODIO

¡Aquí!

Entra un partidario, hacha en mano, que lo abraza riendo y gritando.

EL PARTIDARIO

¡Eres tú! ¡Eres tú, nuestro Harmodio! Nos dijeron que estabas de viaje, hermano.

HARMODIO, *su sonrisa aurorece*:

Y era verdad, hermano. Nunca hice un viaje más instructivo ni más maravilloso. ¡Ni en sueños!

Sale con el Partidario. Aclamaciones, bravos, hurras fuera de escena. Sobre la mazmorra vacía, cuya puerta hendida deja franca la entrada a la luz, cae el

TELÓN

62

ACTO SEGUNDO

CUADRO PRIMERO

El tablero de la emisora y la máscara del Locutor I en la oscuridad.

LOCUTOR I

¡El Presidente Harmodio ha reaparecido! En medio del júbilo desbordado de la población entera, el Primer Mandatario del país hizo hoy una entrada triunfal en esta ciudad y reasumió desde luego sus trascendentales funciones en la Residencia de Los Olivos con beneplácito general. Interrogado por los periodistas, se limitó a decir que su viaje de incógnito a través de la Nación le dio un nuevo sentido de las necesidades y de las aspiraciones de nuestro pueblo, y que se entregará plenamente a resolver las primeras y a fomentar hasta el límite la feliz realización de las segundas. Nunca un gobernante nuestro recibió iguales muestras de entusiasmo, de adhesión y de cariño, que acepta —dijo—, no para él sino para la juventud del país.

Cambio a:

LOCUTOR II

Seguiremos informando en breve sobre el proceso de los traidores y sobre el reconocimiento del nuevo Gobierno por las naciones extranjeras. ¡Viva la libertad nacional, obra del Presidente Harmodio!

Oscuro.

El salón de consejo, Harmodio, Diosdado, Victoria, Asdrúbal; luego los personajes que deban aparecer.

HARMODIO, *terminando su relato*:
Y eso es todo, excepto dos cosas: me falta saber solamente cómo llegué a la fortaleza y cuánto tiempo estuve en ella.

DIOSDADO
Tres días, cada uno de cuyos segundos nos costó una gota de sangre a cada uno de nosotros y al pueblo todo.

HARMODIO
Gracias. Habrá que desmentir formalmente todo rumor sobre mi prisión y asegurar que no hubo complot de ninguna especie. Como ahora sé que lo dijiste, Diosdado, estuve en viaje de incógnito, y los miembros del sector Delta del Partido Fraternal, que dirige Victoria, se limitaron a escoltarme en mi visita de inspección a la fortaleza de San Juan.

DIOSDADO
Ya lo había pensado y justamente iba a sometértelo. Así se hará.

HARMODIO
La otra cosa: llegué dormido a la mazmorra puesto que desperté en ella. Alguien me cambió el medicamento para la contusión por un hipnótico.

VICTORIA

¿Por qué lo piensas?

HARMODIO

No es sólo que lo piense; ahora volveremos a
eso, Victoria. ¿Terminó el proceso de los asesinos, Diosdado?

DIOSDADO

Con limpieza absoluta. Félix y los demás prin-
cipales fueron condenados a muerte. Los oficiales menores que se limitaron a obedecer órdenes tienen entre veinte años y prisión per-
petua. El jefe de la policía y su primer ayudante se dieron muerte.

HARMODIO

¿Ellos mismos?

DIOSDADO

Nuestro Gobierno no ha derramado una gota
de sangre.

HARMODIO

Bien. ¿El Presidente Solón?

DIOSDADO

Sigue preso en sus habitaciones.

HARMODIO

Hazlo traer aquí.

DIOSDADO

¿Cómo?

HARMODIO

En seguida.

*Diosdado hace mutis con una expresión de des-
concierto y duda. Harmodio se frota las manos y
sonríe a algún pensamiento.*

VICTORIA

¿Quieres explicarme por qué piensas que te dieron un hipnótico?

HARMODIO

No lo pienso, te dije. Lo sé. ¿Puedes explicarme tú cómo sería posible trasladar a un hombre sin que se defienda, grite, pelee, haga todo el ruido imaginable para impedirlo? No hubo pelea, no recibí golpe alguno —todo se hizo con mucho cuidado—, y mi sueño natural es muy ligero. Por consiguiente, se me hizo dormir.

VICTORIA

¿Y quién podría haberte dado ese somnífero?

HARMODIO, *sonríe*:

Buena pregunta, ¿sabes? Dudo entre dos personas nada más.

VICTORIA

Nómbralas pues.

HARMODIO

Dudo también sobre si fue una u otra de las dos, o si las dos se... mancomunaron para hacerlo. He pensado que los dos tenían motivos poderosos y...

VICTORIA

¡Nómbralas!

HARMODIO, *sonrisa*:

...y ajenos por completo a la cosa política. Y...

VICTORIA

¿Vas a nombrarlas al fin?

HARMODIO

Van dos veces que interrumpes al Presidente.

66

Pareces tener más prisa que yo. Y —decía—, estoy dándoles tiempo y ocasión para que se nombren ellas mismas. ¿Quizá piensas que me equivoco?

VICTORIA

No lo sé.

HARMODIO

¿O piensas tal vez que no se nombrarán?

VICTORIA

Puede ser. Y, si lo hacen, ¿qué harás tú con ellas?

HARMODIO

Eso lo veremos después. (*Mira su reloj.*) Les quedan sesenta segundos. (*Pasea lentamente.*)

VICTORIA, *duda, frunce el ceño, aprieta los puños, alza la cabeza y da un paso hacia Harmodio:*
Y bien. . .

ASDRÚBAL, *se adelanta con decisión al mismo tiempo avanzando por el lado opuesto:*
Señor Presidente. . .

Harmodio se detiene, lo mira, mira a Victoria y sonríe.

HARMODIO

¿Sí?

ASDRÚBAL

Esa noche iba usted a cometer un terrible error y, peor aún, una injusticia sin nombre. Iba a sacrificar a una persona inocente. Por eso me pareció necesario detenerlo y darle el sitio y la ocasión para reflexionar. Pero seguí teniendo siempre en cuenta en primer lugar la seguridad personal de usted, y con mi vida habría impedido que se le hiciera el menor daño.

HARMODIO

Gracias, general. (*Imposible definir su intención.*) Pero, entre otros recuerdos, me vino uno, más bien impreciso, estando en la mazmorra. No me han hecho sino una intervención quirúrgica en mi vida, y en ella descubrí que tengo una resistencia increíble a la anestesia. El pentotal sódico no me impidió ver el destello del bisturí cuando penetraba en mi cuerpo. La otra noche, después de tomar el comprimido, tuve todavía una fracción de segundo para ver otro destello: el de la mano que me quitó el vaso. Era una mano de mujer.

ASDRÚBAL

Puedo darle mi palabra de soldado de que se equivoca usted, señor.

HARMODIO

Eso esperaba, y le aconsejo que no lo haga, general. Se expone a manchar su palabra. Yo sé lo que vi.

ASDRÚBAL, *después de una honda, grave duda*:

En ese caso, señor Presidente, sea. Yo disolví el narcótico en el vaso. Fue... mi hija quien lo retiró de su mano.

HARMODIO

Ya antes había tratado de matarme con una pistola que parecía, pero que no era, un juguete. Ahora que estamos claros le comunicaré mi decisión. Haga comparecer a su hija.

ASDRÚBAL, *con un terrible esfuerzo*:

Muy bien, señor. (*Se dirige a la puerta.*)

VICTORIA

Espere, general. No puedo permitir que vuelvas a equivocarte, Harmodio. Ésta es la mano (*la levanta*) que te quitó el vaso.

HARMODIO

¿Crees que no conozco tu mano, idiotita celosa? (*Se la toma y le aplica un duro manotazo en el dorso.*) Pero quería que lo dijeras. General Asdrúbal: es usted un hombre leal.

VICTORIA, *acariciándose la mano*:

Yo sabía lo que ibas a hacer —te lo advertí— y no podía consentirlo... por ti mismo en primer lugar, por lo que eres para el pueblo, por ella, por la muchacha... y por mí, claro. Previne al general y nos pusimos de acuerdo en lo que debía hacerse.

HARMODIO

Y usted, general, ¿estaba dispuesto a permitir que castigara yo a su hija que, por lo que veo ahora, no llegó nunca a mi alcoba?

ASDRÚBAL

Sí, señor.

HARMODIO

¡Increíble! ¿Cree usted que ella habría aceptado..?

ASDRÚBAL

Es hija de militar, es mi hija y está conmigo en todo y para todo. Estoy a sus órdenes para lo que sea, señor Presidente. Entregaré desde luego el mando del Estado Mayor a mi segundo.

HARMODIO, *breve, pero tensa pausa*:

No hará usted tal cosa, general. Le debo una gran enseñanza y un muy importante servicio.

Gracias a usted hice el viaje más extraordinario de mi vida, el mejor, el viaje en el que aprendemos lo que sufre el pueblo, y pude graduarme en la cárcel, que es la universidad suprema del pueblo. No puedo ascenderlo: está usted en la cúspide de su carrera. Pero lo necesito con toda su lealtad a mi lado.

ASDRÚBAL, *hace un sobrio saludo militar*:
Gracias, señor Presidente.

HARMODIO
Sírvase usted hacer que me traigan el expediente del capitán Heracles y las actas de su proceso y sentencia. En seguida.

ASDRÚBAL
Perfectamente, señor. (*Mutis.*)

VICTORIA, *tras una ligera pausa*:
¿Y cuál es tu decisión respecto a mí, ahora que lo sabes todo, Harmodio?

HARMODIO
Te lo diré después. Por el momento tenemos cosas más urgentes que atender. Y, como dices tú, somos jóvenes: tenemos tiempo. (*Usa un tono de burla moderada y se pone muy serio.*)

Vuelve Diosdado.

DIOSDADO
Solón llega.

HARMODIO
Que pase.

Entra el doctor Solón y saluda en silencio, sólo con una inclinación de cabeza muy formal.

HARMODIO

Señor Presidente del Parlamento, volvemos a vernos. Supongo que la medida que me vi forzado a tomar en virtud de las circunstancias me ha enajenado todas sus simpatías.

SOLÓN

Señor Presidente de la República: debo decir que mi criterio no se norma por simpatías o antipatías y, con entera franqueza, que esa medida fue anticonstitucional y sólo la ausencia de usted pudo modificar el sentido, el alcance y la finalidad de la interpelación parlamentaria. Soy hombre de ley, y la infracción de la ley me lesiona personalmente. Sin embargo, debo reconocer que el proceso incoado contra el general Félix y los demás acusados tenía bases jurídicas y que las sentencias son conformes a la ley y a la Constitución.

HARMODIO

Celebro oírlo.

SOLÓN

Además, la desaparición o ausencia de usted durante los tres últimos días me afectó profundamente por cuanto pude darme cuenta en la prisión en que se convirtió mi casa de que este pueblo lo necesita y de que si lo perdiera a usted perdería la fe y la confianza en sí mismo y se quedaría sin esperanza. Es el sentimiento del pueblo el que me hace olvidar la lesión infligida a la ley en mi persona. Bienvenido, señor Presidente.

HARMODIO

Me conmueve su declaración, doctor Solón, y

71

le ofrezco mis más humildes excusas aquí y en
público si es necesario...

SOLÓN

No por mi parte, señor.

HARMODIO

...porque yo también, durante mi viaje, pude
ver que la ley es la espina dorsal de un país y
que el hombre de ley, cuando es íntegro como
en su caso, es a su vez el guardián de la verti-
calidad y la entereza de esa espina dorsal.

SOLÓN

Muchas gracias, señor Presidente. Con la venia
de usted y del Primer Ministro, convocaré a
una sesión extraordinaria en la que solicitaré
un voto de confianza irrestricta para su Gobierno.

HARMODIO

Pienso que será excelente, pero le ruego que
se quede un momento aún. Hay algo en lo
que su opinión me es necesaria. Diosdado, ordena que hagan venir al general Félix.

DIOSDADO

¿Perdona?

HARMODIO

Oíste bien.

DIOSDADO

Pero es que Félix está en capilla. No veo el
objeto...

HARMODIO

Justamente por eso no hay tiempo que perder.

DIOSDADO

Creo que tengo derecho a preguntarte lo que
quieres hacer al dar un paso tan... inusitado,

y estoy seguro de que el doctor Solón piensa como yo.

SOLÓN

Perdón, Primer Ministro, yo pienso, sí, pero espero a saber para opinar entonces.

HARMODIO

Admirable regla, Diosdado. No creas que olvido que eres Primer Ministro y que nuestro Gobierno es parlamentario. No soy, no quiero ser y no seré nunca un dictador. Sólo que en esos tres días de... viaje he recordado algunas cosas importantes y reflexionado sobre muchas otras. Las palabras del doctor Solón la última vez que hablamos me hicieron meditar... y quizá madurar. Ten confianza en mí y haz lo que te pido. Si ves que me equivoco, te exigiré que me lo digas, igual que a él.

DIOSDADO, *leve indecisión*:

Telefoneo en seguida a la prisión militar.

Mutis de Diosdado a tiempo que vuelve el general Asdrúbal.

ASDRÚBAL. El expediente del capitán Heracles, señor.

HARMODIO, *tomándolo*:

Gracias. (*Se sienta y examina con atención el expediente.*)

VICTORIA, *acercándose a Asdrúbal*:

Le debo agradecimiento, general, y esté seguro de que no habría permitido nunca que Alma, tan linda y tan limpia, pudiera ser víctima de una injusticia.

ASDRÚBAL, *breve sonrisa*:
Las dos son casi de la misma edad, y hermanas
en realidad como lo sienten ahora todos los
jóvenes. Tampoco yo podía permitir que usted
pagara por lo que hice.

HARMODIO, *cierra el expediente y se levanta*:
Doctor Solón, ¿recuerda usted los sucesos de
hace tres años y la expedición extranjera de
buena voluntad y colaboración que costó tanta
sangre nativa?

SOLÓN
¿Quién podría olvidarlos?

HARMODIO
¿Recuerda usted quiénes organizaron el tras-
lado de los poderes a la Sierra durante la emergencia, la defensa por las armas y las negoci-
aciones diplomáticas para lograr la evacuación
de las tropas invasoras?

Vuelve Diosdado.

DIOSDADO
Félix estará aquí en seguida.

HARMODIO
Bien. Preguntaba yo al doctor Solón sobre los
acontecimientos de hace tres años. Escucha su
respuesta, Diosdado.

SOLÓN
Los negociadores diplomáticos fuimos el hoy
difunto doctor Ricardo, Primer Ministro, el Secretario de Relaciones del régimen y yo mismo.
Los defensores militares fueron el general Félix, el general Asdrúbal y los oficiales del Es-

74

tado Mayor, con el Ministro de la Defensa y el ejército, claro.

DIOSDADO

Lo recuerdo muy bien. Estuve en la Sierra.

HARMODIO

¿Cómo —y esto es para mí solo— pudo un defensor de la patria disparar sobre sus jóvenes compatriotas?

SOLÓN

Los hombres cambian de estatura según las circunstancias, señor, como la sombra humana que proyecta el sol: a veces enana, a veces gigantesca según la trayectoria del astro.

Se abre la doble puerta y aparece Félix entre los dos guardias de asalto, que se retiran a una señal de Asdrúbal. Félix lleva, desabotonado, un chaquetín militar desprovisto de insignias.
Pequeño silencio. Expectación.

HARMODIO

Señor general Félix...

FÉLIX

Félix a secas, señor Presidente. Conforme a la ordenanza, ayer fui degradado para que pueda llevarse a cabo la ejecución de mi sentencia.

HARMODIO

Sí, claro, sí. Debo explicar al señor Primer Ministro y al señor Presidente del Parlamento las razones por las cuáles lo he convocado aquí, señor general Félix.

FÉLIX

Perdón, señor. Ese tratamiento me parece una cruel ironía.

Para todo hay una razón. En el curso de mi
reciente viaje repasé la historia de nuestro país.
En uno de sus capítulos más dolorosos, la conducta de los hombres del Gobierno salvó al
pueblo y a la nación, si no de la dependencia
económica, que es nuestro azote perpetuo, sí
de la esclavitud virtual, y nuestra dignidad nacional, por lo menos, quedó incólume. El Presidente era entonces el general Félix. En reconocimiento de este servicio, y en uso de las facultades que me otorga la Constitución, señor
Primer Ministro, concedo aquí indulto pleno
al señor general Félix con recomendación de
que se le restituya su rango militar y se le ha-
bilite para seguir prestando sus servicios al país.
Recomiendo a la vez que se conmute la sentencia de muerte de los otros condenados por
la de prisión de veinte años a fin de que puedan rectificar sus errores contra el pueblo y ser-
virlo, en la forma que ideen los expertos, ayu-
dando a mejorar nuestros sistemas penales para
la más pronta regeneración de los reos comunes
y la reconquista de su dignidad.

SOLÓN

Es usted muy generoso, señor Presidente, y
debo reconocer su madurez política y su elevado sentido de la justicia.

DIOSDADO

El programa para la regeneración de los reos penales fue preparado ya antes de la Revolución,
y su cumplimiento ahora pondrá muy alto
el nombre del país en la esfera internacional.

76

FÉLIX

¿Qué puedo decir yo, señor Presidente? Estaba listo para morir como soldado —pese a la acusación— por mi patria. Ahora estoy listo para vivir y para morir como soldado en el servicio de este gobierno nuevo, tan nuevo que parece un sueño que todos, se lo juro, hemos soñado.

HARMODIO

El indulto, señor Primer Ministro, se otorgará también al capitán Heracles por su heroico comportamiento de hace tres años en la Sierra, y a todos los oficiales subalternos que fueron condenados, puesto que tuvieron que acatar órdenes. El pueblo comprenderá, estoy seguro. Esto es lo que he decidido y ahora debo preguntar: Señor Presidente del Parlamento, señor Primer Ministro, ¿concurren ustedes en mi decisión o la objetan?

SOLÓN

El Parlamento se asocia a ella, señor, por mi conducto, y la aplaude.

DIOSDADO

El Gobierno la suscribe sin reserva alguna.

VICTORIA

Has madurado en efecto, Harmodio.

ASDRÚBAL

Su generosidad me llena de emoción, señor Presidente.

HARMODIO

Me agrada mucho ver que todos estamos de acuerdo, pero falta algo aún. Pensé también durante mi viaje que en todos los pueblos, y especialmente en los que han sufrido tanto como el nuestro, el gobierno, como el sol, ha de ser para todos —hombres y partidos— siempre que sirvan al pueblo, a sus hermanos y den su sangre por ellos en forma de amor y de trabajo. Así pues, he sentido la necesidad de establecer un gobierno de coalición en el que participen los miembros más experimentados y más probos de regímenes anteriores y de otros partidos que pudieren constituirse.

SOLÓN

Aplaudo sin la menor reserva en lo personal, señor Presidente. Eso es superior sabiduría política. Cuando el Primer Ministro comunique los decretos respectivos al Parlamento, procederemos de inmediato a su estudio y —estoy persuadido de ello por su elevado nivel político— a su aprobación.

DIOSDADO

Me consagraré a su preparación desde luego y quedarán listos lo antes posible, doctor Solón. Pero hay otra cosa de importancia y de urgencia, señor Presidente: el Secretario de Relaciones me llamó al conocer la nueva de su regreso para decirme que es fundamental recibir cuanto antes al Cuerpo Diplomático.

HARMODIO

Por supuesto. ¿Qué día es hoy?

DIOSDADO

Martes.

HARMODIO

Hay que informar al doctor Ascanio que este sábado recibiré a todas las misiones diplomáticas en pleno y en traje de calle.

DIOSDADO

Entendido.

HARMODIO

Y ahora una noticia, señores. El domingo próximo espero casarme con la hermana Victoria, si ella acepta.

VICTORIA

¡Harmodio! ¿Qué puedo decirte?

HARMODIO, *sonriendo*:

Ése es tu castigo por lo que hiciste, y puedes decir que aceptas y dejar de hacer pronósticos por esta vez al menos.

VICTORIA

¡Harmodio! (*Va a él, que la abraza.*)

HARMODIO

Me complacería mucho, general Asdrúbal, que el mismo juez de lo civil, a quien le ruego prevenir, casara el mismo día a su hija Alma y al capitán Heracles. Y que se anuncie que ese día será de fiesta para todo el pueblo. ¿Quiere hacer lo necesario?

ASDRÚBAL

Acepte usted, con mi reconocimiento más hondo y más duradero —eterno en realidad— el de ellos, señor.

HARMODIO

Es mi homenaje a la belleza física y moral de su hija, general. Y ahora les doy las gracias y les ruego que nos dejen. Tú también, Victoria (*la besa en la mejilla*), pues Diosdado y yo tenemos todavía mucho quehacer urgente.

Sonrientes apretones de manos. Mutis general.

*Victoria sale después de Solón y Asdrúbal besan-
do a su vez a Harmodio. Félix se detiene un momento, va hacia Harmodio y le tiende la mano,
que Harmodio estrecha.*

FÉLIX

Sin palabras, porque no las tengo ya, señor
Presidente.

HARMODIO

Sin palabras, general.

*Mutis Félix. Cambio de luces que crea una suerte
de suave penumbra.*

HARMODIO, *sentándose*:

Bueno, ya está. Siéntate, Diosdado. ¿Tienes todos tus papeles?

DIOSDADO, *como ausente*:

Los tengo. (*No se sienta.*)

HARMODIO

¿Te pasa algo?

DIOSDADO, *mirándolo fijamente a los ojos*:

Nada. Simplemente, no puede ser, Harmodio.

HARMODIO

¿Qué dices?

DIOSDADO

Digo que no puede ser.

HARMODIO

¿Y qué, si me haces favor, es lo que no puede
ser entre tantas decisiones como he tomado?
¿El gobierno de coalición, acaso?

DIOSDADO

Deberías saberlo: tu boda con Victoria es imposible.

HARMODIO, *lo mira lentamente*:
¿Cómo has dicho?

DIOSDADO
Ya lo oíste, y ya te penetró a fondo, lo siento claramente. Te aconsejo que cambies tus planes.

HARMODIO, *incierto, pero de buen humor aún, como un chiquillo, con una sonrisa maliciosa*:
¿Por casualidad amas en secreto a Victoria, Diosdado?

DIOSDADO
Ésa es una broma que sobra, Presidente. No te burles.

HARMODIO
¿Y por qué no, Primer Ministro?

DIOSDADO
Si no lo sabes —y creía que eras lo bastante perspicaz para saberlo— te lo diré.

HARMODIO
Te escucho.

DIOSDADO
Prepárate: Victoria nos traiciona.

HARMODIO, *dando con el puño en la mesa*:
¡Cuidado con lo que dices!

DIOSDADO
O nos traicionará pronto. A pesar suyo quizá, pero no podrá evitarlo.

HARMODIO
No te entiendo.

DIOSDADO
El sector Delta, su sector —y ya sabes que es el más peligroso— quiere tomar las riendas del Partido... y del Gobierno.

HARMODIO

¿Deliras? El Partido tiene su reglamento que es inviolable para todos los sectores. Tú lo sabes. El turno del sector de Victoria está previsto, programado para dentro de seis años, al terminar nuestro gobierno reelecto, o casi —y eso si no surge contradicción o diferencia con los turnos análogos previstos en la Confederación Mundial de Partidos. ¡*Tú* deberías saberlo!

DIOSDADO

Escucha. En los tres días de tu ausencia —y eso sí lo sé— tuve que hacer prodigios para contener a los Deltas. Estaban desencadenados, azuzaban al Parlamento contra el gobierno, y *tú* sabes que son los más radicales. Querían acabar con todo y predominar desde luego.

HARMODIO

Ellos me sacaron de la fortaleza.

DIOSDADO

Parte de su juego, ¿no te das cuenta? Asdrúbal me explicó las cosas y me dio las llaves de la fortaleza, pero cuando iba yo a liberarte, Victoria soltó a su jauría. ¿Entiendes ahora? Primero previno a Asdrúbal y quiso desplazarte. Le entregó el hipnótico so pretexto de salvar a Alma de tus garras de... fauno en celo. Se trataba de que tú no salieras ya de San Juan. En cuanto supo que yo tenía las llaves, se puso en acción y me ganó la carrera por una cabeza. ¡Por eso te digo que no puede ser!

HARMODIO

Pareces más fanático que los Deltas.

DIOSDADO

Y ahora —date cuenta—, al casarte con ella vas a poner el poder en las manos de ésos. Nos harán polvo. ¡No puede ser!

HARMODIO

Sabes cuánto te quiero y cuánta confianza tengo en ti, hermano. Pero quiero a Victoria y confío en ella tanto como en ti, y sí puede ser, y el día de la boda será fiesta de todo el pueblo, y tú y yo nos enfrentaremos a todo y lo resolveremos. Es cosa de habilidad política nada más. Si pudimos vencer a los dictadores, ¿no te sientes tú capaz de convencer a los hermanos?

DIOSDADO

No lo sé. Te he dado mi consejo como Jefe de tu Gobierno, Harmodio.

HARMODIO

Y yo te contesto como tu Presidente.

DIOSDADO

Una vez más, te prevengo que no lo hagas. ¡Piénsalo bien!

HARMODIO

Ya lo pensé todo tres días y tres noches, Diosdado, y no hablaré más de eso. Quizá eres tú quien sueñas ahora.

DIOSDADO

Nada es más real que lo que te digo.

HARMODIO

¡Quién sabe! ¿Tienes ya listos los proyectos de los hospitales y los mercados? Urgen muchísimo y tienen que entrar en servicio cuanto antes.

DIOSDADO

Los tengo. Pero óyeme. . .

HARMODIO

No. Los proyectos.

Cruce de miradas. Diosdado acaba por bajar los ojos, tiende unos papeles a Harmodio y suspira.

DIOSDADO (*¿Impaciencia o lamentación?*):

¡Ay!

Oscuro

CUADRO SEGUNDO

Campanas, bandas de música, cohetes, rumor de voces alegres y de risas y canciones. Es el domingo de la boda, fiesta del pueblo por decreto de Harmodio. Toda suerte de efectos brillantes mientras se alza el telón.

El salón de consejo sin más mueble que una gran mesa ovalada detrás de la cual aparece el Juez de lo Civil. Ante la mesa, a sendos lados, Harmodio y Victoria en sencillos trajes de calle —sastre el de ella—, Alma, igualmente, y el capitán Heracles, joven atlético y simpático, en uniforme cotidiano de fatiga. Los testigos son evidentemente, situados en línea un poco más atrás, el doctor Solón, el general Asdrúbal, Diosdado y el general Félix uniformado y con insignias ahora. Ligeramente alejado de los testigos, el Decano del Cuerpo Diplomático, de jaquette.

La claridad del ambiente parece difundir en todo el ámbito ozono y alegría, y la luz —la voz— del sol pleno que penetra por todos los balcones abiertos pone una como electricidad irreal en el ambiente. Cada una de las novias tiene en la mano un pequeño ramillete de flores, y los testigos, ramos de lirios blancos y de rosas rojas. Los dos guardias de asalto, en uniforme de gala, ocupan los flancos.

EL JUEZ, *terminando la lectura de la Epístola*:
Así pues, con la autoridad en mí investida por la Constitución fraternal del país y por el soberano poder magisterial, os declaro, Harmodio y Victoria, esposo y esposa; os declaro, Heracles y Alma, esposo y esposa, y os exhorto a vivir en paz, en amor, en concordia y en armonía, a trabajar por la patria como por vosotros mismos y a ofrecerle sin reservas los frutos de vuestra unión para su mayor gloria y grandeza. Asentad aquí vuestras firmas, y los testigos harán otro tanto.

Las dos novias primero, los dos novios después y luego los testigos ejecutan la orden. Cada desposado se vuelve a su pareja, se besan en la boca, y repiten el juego besando cada novio a la novia opuesta, cada novia al novio de la otra, en las mejillas. Todo con la gracia ligera de un pequeño ballet. Risas, charla desatada y festiva.

TODOS, *ad líbitum*:
¡Felicidades! ¡Bravo! ¡Linda ceremonia! ¡Felicidades!

Un reloj cercano da once vibrantes campanadas.

HARMODIO, *mirando su reloj*:
La radiodifusión se ha retrasado.
EL LOCUTOR INVISIBLE, *al sonar la undécima campanada su voz irrumpe alegremente como una invasión sonora*:
Pueblo tan amado por el Presidente Harmodio: en este momento acaba de unirse nuestro gran gobernante a la hermana Victoria, que tantos beneficios de la inteligencia y del alma nos ha dispensado. Los dos aparecerán ahora en el balcón de la Residencia de los Olivos para saludarte y darte gracias por compartir su alegría. También han enlazado sus destinos en la misma solemne ceremonia Alma, la bellísima hija del General Asdrúbal, jefe del Estado Mayor Presidencial, y el Capitán Heracles, héroe de cien batallas y nuevo Subjefe del Estado Mayor. Todos ellos te piden que te regocijes y te asocies a su felicidad como si fuera tuya, y mañana temprano todos estarán trabajando, como lo estarás tú, por tu bienestar y por tu venturoso porvenir. ¡Pero hoy baila, canta, celebra, disfruta y goza, pueblo amado!

Gestos, ademanes pertinentes y aplausos de los oyentes en la escena desde la palabra porvenir, que se repiten al terminar la invitación a celebrar, en el interior y el exterior. Los aplausos de la plaza son ensordecedores.

EL DECANO DEL CUERPO DIPLOMÁTICO, *con un*
espléndido ramo:
Señor Presidente: en nombre del Cuerpo Diplomático, del que tengo el honor de ser Decano, ofrezco estas flores a la señora Presidenta,
y a ambos —como a los otros dos jóvenes desposados—, los votos de todos los países amigos
de la paz y del vuestro, cada uno de los cuales,
pasando por sobre la engañosa brevedad del
tiempo y la ilusoria extensión de las distancias,
ha enviado sus mejores presentes típicos —flores, frutas, granos, artesanados—, desde los cuatro extremos del planeta. El primero, el segundo, el tercero y el cuarto mundos mandan
por mi humilde conducto su fraternal abrazo
y sus fervientes deseos porque vuestra felicidad
sea una con la felicidad y el bienestar de esta
hermosa, heroica, histórica y, sin embargo, nueva Nación orgullo del Continente.

Aplausos. Harmodio estrecha las dos manos del
Decano, hace una señal y los cuatro desposados
se dirigen al balcón central. Catarata de voces,
cohetes, aplausos y risas festivas a su aparición.
El Mayordomo y algunos criados preparan bande-
jas y copas y sirven vino de Champaña. Vuelven
las dos parejas, radiantes, y el Mayordomo se
acerca a ellas con las primeras copas servidas.

HARMODIO, *riendo*:
¡Oh, oh, oh, champaña! Confieso que no me
gusta, pero por esta vez, y por ti, Victoria, puede pasar.

VICTORIA

¡Salud, hermano!

Brindis general. Cada uno se acerca a chocar la copa con los novios. Diosdado es el último en brindar con Harmodio.

DIOSDADO

Yo soy escéptico, lo sabes, pero brindo porque todo salga como tú lo quieres.

HARMODIO

Como Victoria y yo lo queremos. Gracias, Diosdado. Yo brindo por nuestra propia unión. Después de todo, el Presidente y el Primer Ministro forman también una especie de conyugato, ¿o no?

Risa general. Un criado se acerca a Diosdado y le dice algo al oído. Diosdado hace un gesto afirmativo y el criado sale sin ser notado.

ASDRÚBAL

Señor Presidente: se me ha encomendado entregar a usted este pergamino de homenaje, que contiene las firmas de todos los jefes del ejército.

HARMODIO

Es precioso para nosotros y tendrá un bello marco. Gracias, General.

SOLÓN

Las fuerzas armadas, señor Presidente, siguiendo una vieja y mala costumbre, se me han adelantado. En términos de violencia podría yo decir, como es de uso, que nos han madru-

88

gado. (*Risas.*) Pero no por mucho madrugar, como dice el proverbio, es mediodía a las once. Yo también debo poner en sus manos otro pergamino de homenaje suscrito por todos los miembros del Parlamento.

HARMODIO

Lo agradecemos con el corazón, señor Presidente del Parlamento. Quedará también en un bello marco gemelo, lado a lado con el del ejército. Tan gloriosos los defensores armados como los guardianes y defensores de la ley, armoniosamente unidos en este extraordinario y joven país nuestro, igualmente caros para la patria y para mí. Y así disfrutaremos del raro y afortunado privilegio de tener a las leyes y las armas en casa.

Risas, aplausos. El ruido exterior continúa en grande. Nueva ronda de champaña.

VICTORIA, *tendiendo una copa a Harmodio:*
¿No romperás por una vez tu regla? ¿No compartirás esta copa conmigo, esposo?

HARMODIO

En realidad, se me mete en la nariz. Pero, ¿quién puede resistir desafío semejante?

Toma la copa y se la lleva a los labios. En ese momento, sobre la algazara exterior, se escuchan ráfagas de ametralladoras. Harmodio baja la mano con la copa intacta, que deja caer.

HARMODIO

¿Qué es eso, señores?

HERACLES, *primeras palabras*:

Cohetes último modelo, señor Presidente. Los nuevos triquitraques atómicos. Los probé ayer.

HARMODIO

No, capitán, no. Yo he oído eso antes —lo he oído en mi piel— y ustedes también. General Asdrúbal.

ASDRÚBAL

Señor...

HARMODIO

Haga usted investigar inmediatamente lo que ocurre, y si es lo que yo pienso, ordene cesar el fuego en seguida.

ASDRÚBAL

Sí, señor Presidente. (*Saluda y sale seguido por Heracles, a quien hace una seña.*)

El ambiente, de pronto, parece haberse oscurecido.

VICTORIA

No puede ser lo que piensas, Harmodio. ¡No puede ser! No hay razón ninguna. Creo que te ha quedado un trauma desde la noche de los acontecimientos.

DIOSDADO

Calma, Harmodio.

HARMODIO

Estoy perfectamente calmado y no hay trauma alguno en mí.

SOLÓN

Creo que debe de haber alguna confusión, señor Presidente.

90

HARMODIO

Ojalá. ¿No dice usted nada, general Félix?

FÉLIX

¿Yo señor?

HARMODIO

Es usted militar. ¿Acaso no está familiarizado con el sonido que acabamos de escuchar? ¿No lo produjo usted nunca?

FÉLIX

Señor, ¡si insinúa usted. .!

Cesa el tiroteo afuera. Vuelve a toda prisa Asdrúbal, y un instante después entra Heracles, que le habla con agitación y rapidez al oído mientras sigue

HARMODIO

No estamos en hora de insinuaciones, general, sino de verdades. ¿Conoce usted ese ruido o no? ¿Y que puede decirme sobre él y sobre su causa? ¿O ahora tampoco tiene usted palabras?

FÉLIX

Puedo jurarle que se equivoca, que no sé una palabra de. . .

Lo interrumpe Asdrúbal poniéndole una mano en el brazo, y se acerca luego a Harmodio.

ASDRÚBAL

Señor Presidente. . .

HARMODIO

¿General? (*Asdrúbal le habla rápidamente al oído. Harmodio escucha con una atención que*

se hace más y más intensa mientras aquél con-
tinúa. Al fin:) No puede ser. No lo creo.

ASDRÚBAL

Está probado, señor. Heracles y su gente han
detenido a tres hombres... que hablan.

HARMODIO, *como herido de pronto por el golpe*
de una arma invisible pero letal:

¡Repito que no puedo creerlo! (*Cierra los pu-*
ños y se golpea la frente hasta recobrar el do-
minio de sí mismo en medio de un silencio
empavorecedor. Victoria se acerca a él y trata
de tomarlo por un brazo. Él la rechaza sin
brusquedad. Alma, asustada, se refugia junto a
Heracles. Al fin puede articular: Señor Primer
Ministro.

DIOSDADO

Señor Presidente...

HARMODIO

¿Puede usted explicarme lo que ha ocurrido?
Esos disparos, esas ráfagas de ametralladora fueron ciertos, ¿o no? ¿Qué dice usted?

Una especie de ulular sofocado se deja oír afuera.

DIOSDADO

¿Me hablas de usted? Yo di órdenes, naturalmente, para establecer una vigilancia necesaria, de rutina, en esta ocasión. El pueblo es
siempre propenso a excederse en sus manifestaciones de júbilo y con frecuencia tenemos
notas de sangre en los diarios. Por eso es importante mantener el orden.

HARMODIO

Orden, sí, pero no con balas de ametralladora. ¿Dio usted esa orden también?

DIOSDADO

No, por supuesto, y ya he mandado investigar...

HARMODIO

¿No?

DIOSDADO

Categóricamente no.

HARMODIO, *suspira hondamente*:

General Asdrúbal, haga usted traer a los tres detenidos. Pero antes infórmeme de quiénes son.

ASDRÚBAL

Son tres miembros del Sector Gamma del Partido Fraternal de la Juventud, sector —debo decirlo— que controla el Primer Ministro. Los tres tenían metralletas que se les recogieron.

DIOSDADO

¡Falso de toda falsedad!

HARMODIO

¿No controla usted a Gamma?

DIOSDADO

¡Sí, pero el resto es mentira!

HARMODIO

Haga traerlos aquí, general.

DIOSDADO

¡No! ¡Un momento! Te explicaré...

HARMODIO

Esto, Diosdado —¡fíjate bien y entiéndelo!, es como dejar de creer en mí mismo. Peor aún. ¡Que se resguarde la plaza, capitán Heracles, que nadie se mueva ni se vaya de ella! ¡Es muy importante!

HERACLES

La acordoné ya, señor Presidente, pero confirmaré en seguida. (*Mutis*.)

HARMODIO

¿Ibas a explicarte, Diosdado?

DIOSDADO, *duda un instante. Resuelto al fin*:

Sí. Te advertí la otra noche que ibas a equivocarte y no me hiciste caso y te equivocaste. Tenía yo informes absolutamente fidedignos —y puedo nombrarte al hombre que me los dio— de que Delta trataría hoy de apoderarse del gobierno a la sombra del júbilo popular.

VICTORIA

¡Eso es mentira! ¡Delta es leal!

DIOSDADO

¡Delta es tu sector y quiere el predominio y tú lo sabes!

VICTORIA

¡Es falso, falso, falso!

DIOSDADO

¡Y lo buscas tú misma! Si no, ¿por qué te casaste hoy?

VICTORIA

¿Tengo que oír esto, Harmodio?

DIOSDADO

Por eso ordené estrecha vigilancia. El grupo que debía encabezar a los festejantes era el estado mayor de Delta.

VICTORIA

¡Por lealtad! ¡Ellos fueron quienes me ayudaron a libertar a a Harmodio!

94

DIOSDADO

Por eso justamente. Su plan era sencillo y fácil, Harmodio: acabar contigo y conmigo. Como tu viuda, la hermana Victoria habría quedado con su sector al frente del poder mientras el Parlamento estudiaba el asunto.

VICTORIA

¡Mentira monstruosa! ¿O puedes creer eso de mí, Harmodio?

HARMODIO

¿Y por ese temor, Diosdado, diste orden de disparar?

DIOSDADO

No, de vigilar.

HARMODIO

Bien. ¿Y por qué dispararon esos Gammas entonces?

DIOSDADO

¡No lo sé, no lo sé, no lo sé! Los habrán provocado. . .

HARMODIO

General, ahora sí los prisioneros.

DIOSDADO

¡No!

HARMODIO

¿Y por qué no, Diosdado? Si no diste esa orden no tienes nada que temer.

DIOSDADO

No la di. Lo habrán provocado los Deltas. Sé que traían armas y bombas.

VICTORIA, *casi en lágrimas*:

¡Mentira! ¡Traían flores, flores!

DIOSDADO

Tú sabes lo fácilmente que la gente pierde la cabeza en un tumulto así. Un ademán, un gesto, un movimiento mal interpretado, cualquier cosa, desencadena el pánico. Pero fueron los Deltas los que empezaron. ¡Puedo jurarlo por mi vida!

VICTORIA

¡Ah, no! ¡Ellos no fueron, por la mía!

DIOSDADO

Bien. Señor Presidente, ordena que se registre a los cadáveres, si los hay, y verás que se encuentran armas y bombas en ellos.

HARMODIO

¿Bombas? ¿Bombas que no explotaron al caer ellos bajo un fuego graneado? Extraño y no muy creíble, Primer Ministro. Recuerda que solíamos hacer bombas juntos y las conocemos bien.

DIOSDADO

¡Pero es lo que te dije! ¡Te dije que iban a acabar con nosotros, con nuestro gobierno, con el ideal de nuestro gobierno! ¿Te lo dije o no?

HARMODIO

Lo dijiste pero no lo probaste. Y eso es el pasado. El presente es: ¿ordenaste disparar?

DIOSDADO

Y bien, sí, ¡pero sólo si ellos trataban de hacer algo, y sin duda lo hicieron!

VICTORIA

¡No lo intentaron siquiera, no, porque no, porque no!

HARMODIO

¿Diste o no la orden, Diosdado?

DIOSDADO

Condicionalmente nada más, para protegernos, para protegerte a ti. Tiene que haber habido una provocación, ¡tiene que!

HARMODIO

General, no terminó usted su informe.

ASDRÚBAL

Señor, los tres detenidos son del grado A de Gamma y en la declaración que hicieron al aprehenderlos Heracles y el Estado Mayor, afirmaron haber recibido desde anoche la consigna de disparar sobre el sector Delta. Los tres tienen rango militar con comando de tropas. Las tropas obedecieron.

DIOSDADO

¡Fue una equivocación idiota, monstruosa! ¡Atroz calumnia! ¡No hubo, no di consigna alguna!

HARMODIO, *dolorosamente*:

¡Diosdado! ¿Tú? ¿Debo interrogarlos todavía?

DIOSDADO

Fue un error de ellos, lo admito; pero comprende que los Deltas venían a destruir nuestra obra, ¡todo lo nuestro!

HARMODIO

Aunque así fuera, eran nuestros hermanos. (*Se golpea la frente con desesperación.*) ¡Ah, no! ¡Eso no! ¡Tú no! ¡Tú no puedes delinquir, no! (*Súbitamente frío.*) General Asdrúbal, présteme su pistola.

ASDRÚBAL

Señor Presidente...

HARMODIO, *silabeando*:

Su pistola, general.

VICTORIA

¿Qué vas a hacer, Harmodio? ¡No! ¡No por todos nosotros!

Asdrúbal tiende su pistola reglamentaria a Harmodio, que la toma y la examina curiosamente, como si nunca antes hubiera tenido una en sus manos.

DIOSDADO

¡No! ¡No puedes hacer eso! Soy Diosdado, ¿me oyes?

HARMODIO

Por eso.

DIOSDADO

¡No indultaste a Félix y a los demás, que sí mataron a tantos de los nuestros! ¿Por qué habrías de encarnizarte sólo conmigo?

HARMODIO

Ellos fueron menos culpables que tú porque no son jóvenes.

DIOSDADO

¡Se trataba de salvarte a ti, entiéndelo, de salvar a *nuestro* gobierno!

HARMODIO

Nuestro gobierno y yo sólo podíamos ser, existir, sin sangre. Sin la sangre en que tú nos has ahogado. ¡Has acabado con él!

DIOSDADO

¡No! ¡Fórmame un proceso como a ellos y verás

que tuve razón, que no fui el agresor, que no tengo culpa, que no habrá juez que me sentencie!

HARMODIO

Un gobierno que se salva con sangre es un gobierno que se pudre. No hay sino un juez, Diosdado: el pueblo, que te sentenció ya.

DIOSDADO

¡No! ¡Soy Diosdado, tu hermano, tu guía, tu cerebro, como me llamabas!

HARMODIO, *de hielo*:

Diosdado se suicidó anoche. Doy fe de eso.

Dispara tres veces consecutivas. Diosdado cae. Gritos sofocados. Sensación. Suspensión.

VICTORIA, *al fin*:

¡No debiste, oh, no debiste hacerlo, Harmodio!

HARMODIO

Gracias, general. (*Tiende a Asdrúbal la pistola todavía humeante.*)

VICTORIA

¿Y ahora? ¿Qué vas a hacer ahora?

HARMODIO

¿Ahora? (*Como si despertara.*) Ahora voy a hablar con el pueblo. Acompáñeme, general. (*A Asdrúbal.*)

ASDRÚBAL

A la orden, señor Presidente.

VICTORIA

¡No vayas, Harmodio, no! ¡No quiero decirte lo que estoy pensando, lo que veo, pero no vayas!

HARMODIO

Ya no es hora de profecías, Victoria-Casandra.

VICTORIA

¡No vayas, Harmodio! ¡Por ellos mismos! ¡Por mí!

HARMODIO, *sonriendo, hablando con absoluta calma*:

Sé lo que estás pensando, Victoria. Ya te oí. Óyeme tú ahora. Si hay que morir para que nuestro sueño siga vivo, estoy dispuesto. Muriendo evitaré que despierten los hermanos que soñaban lo mismo que tú y yo. ¿Quieres venir conmigo? Pero por ti misma. No voy a obligarte. ¿Quieres venir o me dejarás solo esta vez?

VICTORIA

Te probaré que Diosdado mentía, que los míos no te traicionan. Vamos, Harmodio. Yo siempre he ido, siempre iré contigo. Dondequiera que sea.

Se toman del brazo y salen, precedidos por Asdrúbal, en medio de un silencio total. Cuando han salido, los demás se dirigen con silenciosa premura hacia los balcones, menos Félix que por señas indica al Mayordomo y a los guardias que se retire el cadáver de Diosdado. Luego se reúne con los demás. Los guardias sacan el cuerpo.

Crece, afuera, un rumor tempestuoso y hostil.

LA VOZ DE HARMODIO

¡Hermanos! Soy yo, soy vuestro hermano Harmodio. Ésta es vuestra hermana Victoria. Aquí

estamos los dos otra vez con vosotros, como siempre.

Rumores amenazantes.

LA VOZ DE HARMODIO
Hemos venido a deciros la verdad. Estamos
limpios de culpa. Hubo un falso hermano que
faltó a nuestra ley de hermandad y de amor.
Era Diosdado. Ha sido castigado ya, y Victoria
y yo hemos venido aquí, a la plaza, a reanudar
el diálogo con nuestros hermanos, con todo este maravilloso pueblo por el que estamos listos
a darlo todo y al que ofrecemos siempre amor
y libertad.

*Un vocerío oscurece sus palabras. Crece el rumor
hostil.*

LA VOZ DE VICTORIA
¡Cuidado, Harmodio, cuidado!
LA VOZ DE HARMODIO
¡No podéis hacer eso! ¿No habéis comprendido,
Deltas? Ésta es Victoria, vuestra hermana ino-
cente a quien cubro con mi pecho...

Suena un disparo seco.

LA VOZ DE VICTORIA
¡Harmodio, no! ¡No, mi Harmodio! ¡Asesinos!

*Un segundo disparo y un silencio cósmico, dijé-
rase, en la plaza.*
*Los personajes en escena se retiran del balcón y
vuelven a primer término. Alma, llorando silen-
ciosamente, se cuelga del cuello de Heracles.*

101

El Juez de lo Civil recoge sus libros de registro y sale presurosamente, sin una palabra.

SOLÓN

No puedo creerlo. Nunca pasó aquí nada semejante— y nunca tendremos otro presidente así.

ALMA

Primero él... luego ella... ¡Es imposible!

EL DECANO DEL CUERPO DIPLOMÁTICO

Perdón, Excelencias. Debo retirarme a informar a mi Gobierno y a mis colegas sobre este infortunadísimo suceso. No opino, no juzgo; lloro como llorará el mundo entero. *(Sale con dignidad.)*

ALMA

¡Qué horror! ¡Qué horror! ¡Qué horror!

HERACLES

¿Por qué, por qué, por qué? ¡Y nada hicimos nosotros! ¡Nada!

FÉLIX

¿Pudimos hacer algo?

SOLÓN

Nada. Es claro. ¿Y qué podemos hacer ahora?

Vuelve Asdrúbal, el chaquetín desgarrado y la huella de un golpe en la cara.

ASDRÚBAL

No pude siquiera cubrirlos con mi cuerpo. ¡Ay!

ALMA

¡Padre, estás..!

ASDRÚBAL

Estoy bien, hija. Pero ellos...

ALMA

¡Sí, ellos, ellos! ¡Pobrecitos!

FÉLIX

Si me hacen ustedes favor...

Todos se vuelven hacia él como hacia un refugio.

FÉLIX

Lamento profundamente lo ocurrido. Como si hubiera perdido a dos hijos. Pero la cosa es clara: han muerto y sería inútil buscar en ese pajar de gentes a los responsables.

ASDRÚBAL

Los Deltas.

FÉLIX

Ésos, o los Gammas, o quizás otros. ¿Qué sabemos? Es indispensable controlar la situación. Doctor Solón: ante esta emergencia considero legal reasumir la primera magistratura del país. Mi periodo no había terminado. Usted se encargará de correr el trámite parlamentario y se hará suplir por el Vice Presidente del Parlamento en sus funciones. Lo designo Primer Ministro y le encomiendo la organización de las exequias nacionales del Presidente Harmodio y su esposa Victoria, los jóvenes mártires epónimos de nuestra causa. ¿Podrá usted persuadir al Parlamento? Yo me encargaré de tratar con el Partido. No puedo permitir ni siquiera la sombra de un disturbio ahora.

SOLÓN

Creo que puede usted confiar en mi experiencia, señor Presidente.

FÉLIX

General Asdrúbal, será usted Ministro de la Guerra. Sírvase ver que se restablezca un orden absoluto, y sobre todo que no haya un solo disparo —por ahora.

Asdrúbal, que escribía algo en un papel sobre la mesa oval, hace ademán de firmar, tira la pluma y tiende el papel a Félix.

FÉLIX

¿Qué es esto?

ASDRÚBAL

Mi renuncia a todo, señor Presidente. Llevo duelo por Harmodio y por nuestro país.

Tiesa inclinación. Toma por un brazo a Alma, que se apoya en Heracles, y los tres hacen mutis.

FÉLIX, *haciendo una bola del papel y tirándola al suelo*:

Deserción. No entiendo a este tipo de gente. Después atenderemos a la peccata minuta. Doctor Solón, sírvase llamar a los miembros de mi Gabinete, que están en algún salón contiguo, llamar al nuevo jefe de policía y convocar para esta tarde a la prensa. Ahora que el pueblo y los jóvenes han despertado del mal sueño que soñaban, entablaremos nuestro diálogo con ellos. A nuestra manera.

SOLÓN

Ahora son todos nuestros hermanos, señor, ¿o no?

FÉLIX

Eso está por ver todavía. ¿No mataron ellos mismos a sus hermanos, tan jóvenes?

Solón se inclina y sale. Félix va al balcón central y abre los brazos en ademán de arengar al pueblo, que ahora parece montar guardia en silencio ante los cuerpos de Harmodio y Victoria.

TELÓN

México, D. F.,
Septiembre 3, 1971,
a enero 31, 1972.

DE

¡BUENOS DÍAS, SEÑOR PRESIDENTE!

*Críticos adversos —y los cuento en buen número—
clamarán desde luego que tiene poca gracia y menos arte acogerse a los manes de Calderón de la
Barca para escribir una pieza de teatro que ya está
escrita y tratar de trasponer a nuestro trastabillan-
te siglo el tema eterno y fecundo de* La Vida es
Sueño.

*Acepto de buen grado esta censura, visto que
yo mismo la formulé en mí hace algo más de un
año cuando, obsedido por el problema implícito
en los movimientos de la juventud del mundo
entero, me planteé varias preguntas:*

¿Tienen razón, y hasta qué punto, los jóvenes?

*La lucha contra lo establecido puede rastrearse
al través de la historia universal.*

*¿Qué es lo que aumenta su intensidad, su vio-
lencia, su frenesí destructor en los días que infor-
tunadamente vivimos?*

*Alimento estimulante para mi preocupación
fueron los varios libros sobre Che Guevara, con-
dottiero continental; y una pieza teatral del excelente novelista contemporáneo de Noruega, Jens
Björneboe,* Semmelweis, *en la que aproxima los
acontecimienos europeos de 1848 a los que pre-
senciamos en 1968, que traduje con ayuda experta*

y que vanamente he intentado presentar y editar en México.

Un evidente eslabón de mi reencuentro con Calderón de la Barca, mi patrono literario de siempre cuyo Segismundo hice por radiodifusión en 1933, está en el título de la pieza que inicié en 1950 y terminé sólo en 1968 sobre un Prometeo arrepentido: El Gran Circo del Mundo. *Ya estaba pues restablecida la liga, aunque nunca dejó de existir entre los tesoros de la memoria, y esto facilita comprender que —después de pensar en una* Rebelión de los Viejos *(pendiente aún)— me viniera la idea de escribir* El Auto de la Juventud.

En el proceso de mi pensamiento y en la nutrición de mi propósito se interpuso rítmicamente La Vida es Sueño *a raíz de conversaciones sostenidas en Oslo con jóvenes visitantes mexicanos, algunos de los cuales habían participado en los negros acontecimientos de Tlatelolco y que, según confesión propia, habían estado "arriba." Entre mis interrogaciones y las exégesis siempre variantes de mis interlocutores pude sentir la recurrencia frecuente hasta hacerse permanente presencia, de Segismundo.*

Sería ocioso y fútil hablar de La Vida es Sueño, *de la inmutabilidad cósmica —en el sentido de espacio, de tiempo y de espíritu— de su filosofía tan apasionadamente estudiada por los grandes alemanes de fines del siglo XVIII, Goethe a la cabeza. El mecanismo que me interesaba sobre todo era sólo el que permite trasladar a Segismundo de la pesadilla de su prisión en la montaña al sueño de su primera etapa en el palacio real de Polonia,*

*de éste a la nueva pesadilla en su caverna, y de
ella, en fin, al nuevo sueño de lucha, victoria,
perdón y gobierno. Los elementos de orden sen-
timental y romántico parecían sobrar aunque, en
realidad, son parte inmanente de las motivacio-
nes del personaje. En suma, el problema que se
me presentó fue la creación de un nuevo Segismundo, de un Segismundo de nuestro tiempo,
príncipe y rey de la vida mejor que de un reino
y que no podía ser sino un joven que sólo simbólicamente lucha contra su destino y contra su
padre puesto que en realidad lucha contra su juventud y contra lo establecido. (El establecimiento,
que dicen los pochos.)*

*Poco a poco se organizaron en mi cabeza los ele-
mentos constitutivos de la acción hasta ligar una
trama no del todo desemejante de la creada por
Calderón, pero diferente en su medida y en sus
circunstancias y ambiente.*

*Tres veces en mi vida de escritor, contada ésta,
he flirteado y charlado largamente con intentos de
elaborar refundiciones de obras consideradas clási-
cas. El primero tenía por blanco* La Verdad Sospe-
chosa, *de Juan Ruiz de Alarcón, cuya versión mo-
derna habría dado una simultaneidad, un unani-
mismo regionales al acto de mentir y que habría
llevado por título* La Verdadera Mentira. *No he
podido realizar mi intención. La segunda vez
fue* El Misántropo, *de Molière, lograda, con todas
sus limitaciones e imperfecciones, en mi* Alcestes.
*Me apasiona saber qué pasará con esta nueva ten-
tativa ya que, siguiendo una vieja costumbre, escribo estas páginas antes de trazar en su integridad*

*la pieza. ¿Por qué este título? se me ha preguntado.
Porque la frase fue para mí la llave que abrió el
drama, inicia la acción propiamente dicha y, en
tanto que saludo matinal, tiene una sugerencia
de despertar en relación directa y contrastada con
el sueño temático. La obra comienza y acaba cuando el héroe despierta de su sueño. Así, ¡Buenos
Días, Señor Presidente! Explicados mis elementos y mis objetivos, entraré en materia consciente
de que disto de ser un filósofo y de que mis conclusiones pueden verse dañadas por mi inexpe-
riencia, ya que mi experiencia en esta y otras materias, como dice López Velarde, "sigue de señorita".*

PESADILLA Y SUEÑO

*Es un hecho, científico incluso si no me equivoco,
que la pesadilla del hombre comienza en el momento en que nace sin haberlo pedido ni deseado.
Y aquí encaja el primer, luminoso acierto de
Calderón:*

> *Bastante causa ha tenido
> vuestra justicia y rigor,
> pues el delito mayor
> del hombre es haber nacido.*

*En pocos días se inicia una larga lucha entre el
infante recién nacido y las reglas —fruto de una
idéntica y hereditaria imposición— de lo establecido en materias de higiene, alimentación y buenas maneras. El llanto del niño, que es un salu-*

110

dable ejercicio de pecho, pulmones y garganta, se interpreta como ignorancia de los buenos usos familiares, etc. Y todos sabemos lo que viene después: aseo, manejo de cubiertos, masticar con la boca cerrada, no rascarse, no bostezar, no estirarse en la mesa, no producir ruidos malolientes y toda la insufrible tabarra que recibe el nombre de buena educación, sin contar la fe religiosa imbuida en el niño a golpes de supersticiones y de ominosas evocaciones, invocaciones a veces, del Diablo con mayúscula. El caballerito que pasa al fin de su casa a la escuela va en fervorosa busca de una emancipación, con la esperanza de librarse de su familia y de encontrar una ozónica libertad.

Ay, recuerdo —y cito sólo ejemplos menores ya que no se practicaba en México la costumbre británica de la vara de alberchiguero fuera de las escuelas de curas o monjas—, recuerdo a mi profesor de tercero de primaria en Córdoba que me dijo un día: "Si tu maestro te ordena que te tires por la ventana, tú tienes que hacerlo porque el maestro es el maestro y sabe lo que hace." Y al inolvidable profesor de quinto (primaria superior hoy abolida) que nos condenó a un compañero y a mí a una hora extra de ejercicios caligráficos porque durante un dictado, entre las once y las doce, otro escolar había dado oloroso viento a un gas estomacal y nosotros, por no perder el dictado, nos habíamos cubierto nariz y boca con nuestros pañuelos. El maestro Medina nos acusó de estar jugando a los bandidos enmascarados de los filmes del oeste norteamericano y nos sentenció sin apelación a perder esa hora frutal de nuestras pue-

111

riles vidas. Hay, por supuesto, cosas peores, de orden físico, pero es más grave el impacto moral que dejan en el niño el ejercicio de la tiranía y la injusticia del profesor.

La pesadilla continúa, en suma. Sólo que ya entonces, en los albores de la edad de razón, empieza el ensueño. Recuerdo que en primaria superior uno de nuestros textos escolares era Lecturas Literarias, *preparado por Amado Nervo, en el que pudimos conocer mil suculentos bocados, incluyendo* Los Camellos, *de Guillermo Valencia, con una cita de Stefan George ("Lo triste es así").* El Dominio del Canadá, *del propio Nervo, el Madrigal de Urbina y tanto más tan bueno que nos dio la sed insaciable de la imaginación y de la poesía.*

Así, tríaca para la pesadilla venenosa de la familia y de la escuela, se presentaba un espejismo de liberación: literatura, arte, viajes, amor. No sabíamos, como nadie lo sabe en ese momento, que se trataba de otras tantas cosas establecidas, de otras tantas esclavitudes que iban mucho más allá, y más adentro, del babero, la limpieza del cuerpo, y la buena conducta en el seno de la familia, en la clase, en el catecismo y en la visita. Peores, en realidad, e incurables algunas.

Pero, como fuere, el sueño empezaba, fecundaba, florecía y atraía a las mil ocultas, inexpertas, multicolores mariposas que todo niño, príncipe o mendigo, lleva en sí. Y esto, unido a la capacidad respiratoria, a la salud chorreando por todos los poros, a la urgencia de vuelo, al enloquecedor, vertiginoso, incomprensible e inexplicable apetito

sexual, prestaba un invisible, pasajero pero auto-
deslumbrante trono al joven. Y aquí comienza a
confirmarse, en el botón, otro aserto calderoniano:

> Sueña el rey que es rey y vive
> con este engaño mandando,
> disponiendo y gobernando.

Curiosamente, la disciplina —no la actual sino
la de hace medio siglo— que imperaba en los cen-
tros de estudios superiores, permitía crear, inventar, una suerte de concubinato entre la pesadilla
y el ensueño. El esclavo de las monótonas clases,
casi siempre mal dadas por maestros más o menos
ilustres, era el Califa de Bagdad en el cine con
la amiguita, en el café con los amigos, y el príncipe estudiante en las cantinuchas memorables
donde se tomaba por cinco centavos un tequila
con abundante y sabrosísima botana de camarones
en escabeche, y con ellos la ilusión de la hombría
plena. El joven empezaba a administrarse entonces, ya facultado para reconocer que hay un tiempo
para la pesadilla y un tiempo para el sueño, un
tiempo —según la Biblia— para adular servilmente
o engañar a los maestros, y otro para dibujarles
en la punta de la nariz la V de la Victoria de la
juventud. Ahora ya no hay administración porque
ya no hay tiempo. Pero vayamos, entonces, a

LA REALIDAD Y EL SUEÑO

Había un ritmo, un manejo superior, dos terri-
torios: uno de paso —la realidad inmediata—, el

otro, como se dice en inglés, for keeps (no encuentro equivalencia castellana justa), eterno: el sueño, la ambición, el gran florecimiento. Clásico involuntario, el adolescente o el joven, practicaba los Trabajos y las Fiestas. Yo conocí esa época, y durante ella, un día que caminaba por la Avenida de los Insurgentes hacia una de mis primeras invitaciones a almorzar y soñaba que alguna vez sería un gran dramaturgo, tropecé contra un bache de la acera y caí en la ruda realidad del cemento lastimándome seriamente una rodilla. Curiosa experiencia aconsejable para los jóvenes del día. Cabe, sin embargo, advertir que en los sueños de que hablo, con raras y contables excepciones, no había marihuana ni LSD ni cocaína ni nada más. Había sólo un espíritu en vuelo. Y el resto, la realidad, era trabajo.

Con la realidad volvemos a la pesadilla. No parece haber otra salida ni otra solución. Pero la realidad, y el rendimiento a la realidad son el precio de la vida si queremos ser hombres enteros y no gorrones ni aprovechadores en las fiestas y en los sacrificios humanos. Un hospital de sangre sui géneris nos pide una gota de sangre a cada uno para mantener al mundo en inmunidad entre la enfermedad y la salud, entre la insania y la cordura, entre la pesadilla y el sueño. ¡Y ay de aquel que no dé su gota de sangre para el equilibrio de nuestro infortunado género humano! La gota de sangre puede ser de amor, de creación, de afirmación, de bondad o, simplemente, de buena voluntad hacia la vida que nos prestan un rato.

El boomerang parece ser la imagen más apta para expresar el movimiento del hombre entre estas dos zonas, pero en duplicado porque el hombre vuelve siempre a la realidad y regresa fatalmente al ensueño. Lo que resulta difícil definir, sin embargo, es si somos los adultos o aun los senectos de este tiempo los que estamos en el sueño —un sueño pasadista, nostálgico y rememorativo— o son los jóvenes vestidos de carnaval fugándose en pijamas y otros atuendos nunca antes portados en la calle, y que se entregan en las esquinas, en cafés y restaurantes, en el metro, los autobuses y tranvías —para no hablar de los salones de cine, que tienen ya su ejecutoria en esto— a ejercicios de deliquio sexual que serían conmovedores y aun irrisorios si no abrieran a nuestros ojos el abismo de una falta total de intimidad y, por ello, de verdad, de realidad *sexual. Esos jóvenes, que están soñando sin duda, se sienten seguros de estar en la realidad, en* su *realidad al menos. (Ignoran que la realidad tiene que cambiar a cada segundo, para existir.) Los viejos que los miramos con sorpresa, asombro, disgusto, reprobación y sin duda envidia, creemos o sentimos que nosotros somos los seres reales y ellos sólo figuras de un rompecabezas onírico del que tendrán que salir para cuajar como seres existentes y venir a lo que nosotros soñamos que es nuestra realidad y que por nuestra parte pensamos que no cambia.*

La primera pregunta que se me ofrece ante esos espectáculos dignos de las fiestas de Afrodita si no fuesen tan minúsculos y pueriles, es: ¿Qué reservan estos niños para la cama? ¿O dormirán de espaldas? Pero hay una segunda, más inquietante: ¿Tendrán tiempo de llegar a la cama? La era nuclear, con sus viajes a la luna, ha suscitado la teoría —nada nueva por lo demás— de que ya no hay tiempo en el mundo y de que la transitoriedad de este planeta en el Cosmos —y la nuestra en él— ha acabado con todo el orden establecido. Lo que los jóvenes hacen vendría a ser, en suma, aunque a costa de mucha sangre y de grandes angustias, una simple destrucción simbólica del "establecimiento", una puesta en escena de los designios atómicos que aseguran haber reemplazado a los divinos.

Cuando esta pareja que se cachondea frenéticamente y sin ternura alguna en la esquina de Isabel la Católica y Madero durante más de una hora —he podido comprobarlo— llegue a la cama, esto es, al hogar, al matrimonio, a la paternidad —otras tantas formas de la pesadilla que trata de eludir— ¿cómo será, qué hará, y sobre cuáles nuevos cimientos podrá instalarse y sentirse segura? Llegar a eso equivale a ir del ensueño a la realidad, esto es, a la pesadilla, porque ¿hacia qué sueño podrán seguir entonces la parábola del boomerang, sin contar el estragamiento de las sensaciones y la disolución de la potencia que hacen que "la eficaz y viva rosa" quede "superflua y estorbosa"?

Es hora de confesar que, al igual de todos los jóvenes de siempre, y quizá en mayor grado a causa de una aflictiva y casi incurable timidez y de una sensibilidad que podía hacer sangrar un cabello,

116

*sobre la estela del hoy inocuo D. H. Lawrence y de
su Amante de Lady Chatterley, en mi juventud
quemé incienso ante la teoría de que, como en Gre-
cia, los jóvenes armoniosamente formados debían
hacer el ejercicio del amor en los jardines, a la
vista de todo el mundo, al aire y al sol, como un
elemento más de composición del paisaje y como
un tributo a la vida. Era, naturalmente, una forma de fuga fuera de mi natural timidez, y desde
luego un espectáculo de más alta plasticidad que
el que ofrecen las chicas y chicos de cabellos largos y sucios y ropas de colores tan chillantes y
cortes tan grotescos que dan, por alguna trasposición de los sentidos, la impresión de oler mal.*

*Y en la moda, que representa una urgencia, un
frenesí de cambio contra todo lo establecido, aparecen claramente dos paradojas: por un lado, se
trata de pasar de una pesadilla a otra pesadilla,
y por el otro, la fuga no parece ser ya hacia el
futuro, sino hacia el pasado, como para detener
o para anular el tiempo. En esta provincia tejana
en que la juventud actual ha convertido a la que
fue en un tiempo Ciudad de los Palacios, en esta
suerte de Corte de los Milagros ambulante, encontramos por centenares cabelleras, patillas, bigotes,
barbas y vestimentas o disfraces de hace un siglo.
¿Disfraces contra el tiempo? ¿Emulación de Josué?
Si un computador electrónico —suppose this sup-
position, decía Byron— se dejara engañar por ta-
les disfraces y por este carnavalesco abigarramiento,
¿resultaría inoperante, anacrónica quizás, la bomba
atómica? Es difícil entender las circunvoluciones
mentales que determinan este reto de la juventud*

al tiempo, si es que existen y si existe una mente tras ellas.

El otro aspecto sobresaliente, en todo el mundo ya, de esta dualidad o yunta que componen la realidad y el sueño, es la política, pesadilla de todos los pueblos.

La suciedad inefable, les égouts, el lodazal, la ciénega de la política, sin excepción de país casi, y la atarjea burocrática que la protege y encauza, especialmente en los sistemas piramidales de nuestro Continente, es, por lógica directa, un trampolín para el sueño —llámese democrático, comunista o anarquista— y para el ideal de hacer justicia, establecer igualdad y prestar un funcionamiento y un ritmo vivos y humanos a lo que llamaré la República en el sentido platónico, trátese de monarquía, república constitucional o checa.

Pero...

Como las mujeres perdidas, y en ocasiones como la mujer ideal, la pesadilla política fascina a los jóvenes a modo de un sueño manantial de masculinidad, esto es, de hombría y de juventud eternas. Y mientras más se enlodan en su charca, más "hombres", más inmortales se sienten porque sus elementos son la vida, el azar y la muerte, con los que los hombres sueñan que juegan. Creo que no es mala la definición de César Rubio cuando asienta en El Gesticulador que "el político es el eje de la rueda... él separa todo lo que no serviría junto, liga todo lo que no podría existir separado". Tal, por lo menos, es su sueño. Pero esto mismo determinaría la ilusión, el espejismo de su inamovilidad, de su permanencia perenne, no sólo al través de la idea o del ideal que lo hace entregarse totalmente a la actividad política, sino sobre todo en relación con lo que él juzga realidad irreversible y que no es más que una realidad soñada:

Sueña el rico en su riqueza,
que más cuidados le ofrece...

Es posible aceptar estas ideas como síntesis de una situación universal y de todos los tiempos, con mayor o menor número de matices. Nunca, sin embargo, como ahora, parecen haber caído tantos jóvenes en el despeñadero político, sobre todo vía Universidad-LSD-cannabis índica, como si la vida no ofreciera otras atracciones, horizontes varios, perspectivas múltiples. Pero tampoco podemos, ni debemos, generalizar.

Los políticos y generales de Atenas —Alcibíades (450-404), Alejandro Magno (356-323)— o de Roma —César (101-44), Bruto (85-42)—, aun considerando el lapso vital medio que prevalecía entonces, los citados y muchos más se inician y realizan sus grandes hazañas históricas en plena juventud. Lo mismo puede aplicarse a muchas de las más grandes figuras del Renacimiento y de símbolos registrados por los poetas, digamos como cuando Shakespeare crea sus inmortales amantes: una Julieta de quince años y un Romeo de diez y siete. Parece en verdad que la Edad Media constituye el único ciclo en el que la madurez, fruto de la meditación, del estudio y de la penitencia, es requisito indispensable para la mejor conducta y *más larga permanencia de su hegemonía. Es cierto que los jóvenes medievales van a las Cruzadas, pero los senectos se entregan al estudio, al análisis y al conocimiento del mundo.*

Es un hecho, por otra parte, que si no todos los enciclopedistas y sus precursores inmediatos, sí los grandes agitadores y tribunos de la Revolución francesa actuaron y murieron jóvenes: Danton (1759-1794), Desmoulins (1760-1794), Robespierre (1758-1794), para citar sólo a algunos, y que Napoleón Bonaparte no vive sino cincuenta y cuatro años y su proconsulado y su serie de batallas memorables son acciones de juventud que le rinden la corona imperial a los treinta y seis años.

Víctor Hugo relata en Los Miserables *los acontecimientos de 1830, las barricadas levantadas por jóvenes y aun por niños como el epónimo Gavroche, y los sucesos de 1848 fueron promovidos en buena parte por estudiantes adolescentes todavía. El propio Luis Napoleón (III) no es un anciano ya que había nacido en 1808.*

Para venir a lo nuestro, recordemos a un Cuauhtémoc victimado a los veintidós o veintitrés años. Miguel Hidalgo es el más viejo de los jefes insurgentes: muere a los cincuenta y ocho; pero veamos las edades de Morelos (1765-1815), Allende (1779-1811), Abasolo (1780-1816); Madero inicia la Revolución de 1910 a los treinta y siete y es asesinado a los cuarenta, et sic de caeteris. *En el claroscuro de los relatos literarios sobre este tipo de sucesos, a partir de Hugo, aparecen también hombres maduros y aun ancianos como arte y parte simbólicas del pueblo desilusionado, traicio-*

120

nado y sufrido, que se ofrecen como carne de ca-
ñón para que sus hijos puedan vivir en un mundo
diferente, justo y libre, movidos por la pesadilla
vivida y por el sueño anhelado. ¿Hay, en rigor, diferencia —desde este ángulo— entre los Niños
Héroes de Chapultepec y los provocadores pro-
vocados de Tlatelolco, salvando los motivos antí-
podas de ambas acciones —el sacrificio por la
patria y el sacrificio de la patria? ¿Y cómo extra-
ñarnos entonces de los acontecimientos mundiales
de 1968, obra de jóvenes huestes quizás acciona-
das por viejos políticos y pensadores, aunque no
hay pruebas de esto exceptuando posiblemente a
Marcuse y a los promotores del neotrotskismo?

En su importante libro sobre Cuba, Manuel
Márquez Sterling apunta que la sangrienta dictadura de Machado sólo difería de las anteriores "en
las proporciones," y éste es el criterio que en apariencia puede aplicarse aptamente o lo que estamos viviendo aún. Diferencia de proporciones de-
bida sin duda a la sobrepoblación del mundo mo-
derno y al hecho de que, como la economía con-
table, lo que llamaré la economía humana pasa
por una fase de inflación que reclama con periodicidad, a intervalos cada vez más cortos, el fatal
recurso del dumping. (India-Paquistán.)

Pero hay otros aspectos interesantes a estudiar
en esta materia. Un general revolucionario afirmó
alguna vez en un melancólico brindis: "Señores,
la Revolución ha degenerado en gobierno." Cabe
preguntar entonces en qué degeneraría la insurgencia juvenil de hoy para llegar después a otro
punto interesante, que es el gobireno por los más

jóvenes, la iuvenucracia, y examinar en consecuen-
cia el fenómeno biológico que esto puede repre-
sentar ya que, por un lado, la ciencia y la higiene
han logrado una mayor longevidad para el hom-
bre y que, por el otro, el movimiento actual se
dirige implacablemente contra los longevos.

Podría ocurrir que así como se nos ofrece la
imagen aludida de los sensualistas precoces y sin
intimidad que no experimentarán ya deseo al lle-
gar a la cama, los jóvenes líderes, tan eléctricos y
potentes en su acto de rebelión resulten inservi-
bles —estragados o fatigados— como hombres de
gobierno y hagan indispensable, vital, buscar el
equilibrio y el sol para los viejos como para los
jóvenes. Parece tan difícil conjurar la figura de
un Che Guevara al frente de un gobierno orde-
nado y eficaz como lo fue en su momento imagi-
nar a José Vasconcelos instalado en la presidencia
de México sin un desenlace catastrófico ya que
su elemento no era el gobierno sino la lucha por
el cambio.

El reciente decreto presidencial que establece
una minoría de edad parlamentaria por primera
vez en México y quizás en el mundo, viene a
agravar, ahondar y prolongar estas reflexiones. La
evidencia superficial es que se trata de un intento
para detener o frenar la anárquica insurgencia de
nuestra juventud dando a muchachos que no han
terminado sus estudios y que carecen de experien-
cia por razón biológica y humana, una responsa-
bilidad y un sentido del deber de dimensiones
nacionales, de servicio al país. Por el otro lado
puede preverse que la fascinación que la política

ejerce sobre los jóvenes, exorbitada en la actualidad, arrastrará a un número mayor a la cloaca con resultados insatisfactorios en lo general. El fracaso, sin duda, sobrevendrá en un porcentaje quizás alarmante; pero aunque puede considerarse que la experiencia es el salario del fracaso, en términos latos, hay otro modo de mirar esto: desgraciado de aquel que no fracasa en la juventud porque no tendrá maestro ni lecciones de humanidad.

Sin embargo, puede pensarse aún en que este movimiento —que tiene correspondencias universales— constituye un aspecto complementario de la lucha en marcha contra los longevos, y puede atribuirse al sentimiento sedimentario, casi nunca directamente expresado, de que los jóvenes de hoy obran y actúan, dijérase, bajo la impresión de que vivirán poco tiempo y de que, por consiguiente, los viejos no deben sobrevivirlos. Quizá no se trate en el fondo —nada prohibe especular sobre ello— sino de una "lección de cosas," consciente o inconsciente para dar al joven la fecunda enseñanza del fracaso. En todo caso, la rápida carrera parlamentaria cuya imagen se ofrece a sus ojos ávidos vendría a ser una suerte de harakiri. La política es una carrera mucho más larga que las otras y es claro que hay que iniciarla, pero no parece lógico hacerlo en rango parlamentario sin que surja la posibilidad de un descenso, vertiginoso a veces. Imaginemos, no obstante, una ejemplar, deslumbrante carrera política para el joven mexicano todavía carente de experiencia y por tanto de sentidos humanos: diputado suplente, diga-

mos, a los veintiún años por un trienio, a los veinticuatro podrá llegar a propietario y empezar a
preparar, como residente reconocido de tierras políticas, su elección de senador. ("¿Por qué no se
lanza usted para senador?" me preguntó en Oslo
Don Manuel Tello, entonces Secretario de Relaciones Exteriores. "Con c, sí," contesté.) Electo a
los veintisiete por seis años conforme al reglamento aún en vigor (o sea en coincidencia con la siguiente elección presidencial), a los treinta y tres
el joven podrá lanzarse para gobernador de algún
Estado o llegar a miembro del Gabinete. Y el
salto mortal parecerá ofrecerse entonces a sus
ojos: la presidencia del país, a la que llegaría más
o menos a la edad en que advino a ella Lázaro
Cárdenas, para terminar su carrera política apa-
rente al llegar a los cuarenta y cinco años, edad
de vigor pleno y de madurez en flor, es cierto. . .
¿A qué se dedicará entonces, a menos que el término de su carrera coincida con el término de su
vida? No hay que olvidar que ha pasado la mitad
de su existencia, o más, en la inficionante cloaca
política, pero sobre todo que ha paladeado largamente el sabor del poder, de la acción sin trabas,
del dominio de un grupo, de un partido, de una
nación. ¿Se agostará en pequeños empleos, se adaptará a un ingreso modesto y, en particular, a la
especie de hemiplejía que sería el no poder ya
manejar sus manos como antes? Aquí resurge la
posibilidad del harakiri, aun metafórico, de la disolución de la voluntad, del anonadamiento de
la persona, de la muerte antes de la longevidad,
a menos que explotando sus influencias y la ex-

periencia que entonces sí tendrá, imite a tantos ex presidentes y se consagre a enriquecerse por el afán, incurable, ay, de seguir gobernando al través del dinero, símbolo eterno del poder, lo cual, en realidad, es otro modo de suicidio.

¿Voy demasiado lejos? No lo dudo. Es una vieja costumbre que me ha traído muchas veces la amarga satisfacción de ver aceptados y comprobados mis vaticinios o juicios después de largo tiempo de emitidos.

En todo caso, y en independencia de cualquier límite de orden realista, aquí enfrontamos otra vez el conflicto ya no latente sino explosivo entre la juventud y la senectud o la vejez, en agudo contraste con los esfuerzos de la ciencia médica por dilatar el lapso de la vida normal del hombre. El sumario balance histórico que he presentado hace evidente que también han existido grandes jóvenes indispensables en el mundo, extraordinarios generales, pero igualmente que el grueso de sus coetáneos son soldados rasos que cuentan sólo por el número: son semillas. Por otra parte, una estadística minuciosa mostraría que, con excepciones deslumbrantes como Rafael, Keats, Toulouse-Lautrec, Rimbaud a su modo o Modigliani, el gran arte, la alta poesía, la filosofía maestra, la tragedia, la música, la ciencia biológica o atómica, son la contribución a la vida del mundo de un número superior de provectos y aun de senectos ilustres. Platón, Aristóteles, Plotino; Sófocles, componiendo Edipo en Colono *a los noventa años; Miguel Angel, Da Vinci, Samuel Johnson, Goethe, Kant, Bach, Pasteur, Shaw activo y*

*creador hasta los noventa y cuatro, Einstein hasta
los setenta y cinco, Churchill, De Gaulle, Picasso y
Casals no son sino unos cuantos de un ejército
de mariscales a los que nunca ha sido posible con-
siderar viejos decrépitos. Son árboles productivos
inmarcesibles porque continúan dando frutos y
formando generaciones.*

*Es el momento, creo, de volver la memoria y
los ojos a George Bernard Shaw, a su teoría de la
Evolución Creadora y a su extraordinaria pieza,
o pentateuco metabiológico,* La Vuelta a Matusalén.

LA PIEZA (1921)

*En la primera parte, "En el Principio", Adán y
Eva atestiguan —por primera vez en la Creación—
el espectáculo de la muerte en el cuerpo de un
cervatillo y descubren que nada puede despertarlo
y que huele mal. Deciden que los dos deben vivir para siempre y evitar caídas como la que su-
frió el cervatillo para que ninguno deje solo al
otro. La idea opuesta es inaceptable aunque Adán
se ha quejado a veces de existir y de estar condenado a vivir siempre consigo mismo. Inventa la
palabra "muerte" que en realidad le fue apuntada
por la Serpiente, como crea la voz "nacimiento"
por oposición a muerte, la teoría de renovación y
los vocablos "vida", "voluntad" y "milagro".
("Un milagro es una cosa imposible que es posible no obstante. Algo que nunca podría suceder
y que sin embargo sucede.") El conflicto entre
la vida y la muerte queda planteado. Adán deci-*

126

de: "Si pospongo la muerte para mañana, no mo-
riré nunca. No existe tal cosa como el día de mañana ni puede existir nunca." Se examina la pro-
creación de nuevos Adanes y nuevas Evas.

En el acto II aparecen el episodio de Abel y
Caín y la defensa de la bélica constructiva, etc.,
por el primer asesino.

La Segunda Parte, después de la Primera Guerra
Mundial, nos presenta el Evangelio de los hermanos Barnabas. Conversan y discuten varios personajes, entre ellos el biólogo Conrad Barnabas, que
llevan —al través de ironías políticas y religiosas
estrictamente británicas pero sabrosamente shavia-
nas y pro y anti Darwin y Marx— al programa
de los hermanos Conrad y Franklyn Barnabas:
"El retorno a Matusalén", basado en la inmorta-
lidad original de Adán y Eva y en la creación
biológica, sin descontar la extinción de la humanidad por muerte accidental ni, incluso, la reen-
carnación ni la posibilidad de que "la cosa" o el
milagro le suceda a la criada de la casa. Las conclusiones son que la Evolución Creadora no podría
ser detenida sólo porque la gente se ría de ella, y
que "la cosa" no le ocurrirá a ninguno de los presentes.

En la Tercera Parte, "La Cosa Sucede" en
2,170 A.D. y aparecen varios longevos del acto an-
terior algunos y otros que los preceden en el tiempo, como Confucio. Vemos al Pastor Haslem del
acto previo convertido en Arzobispo de York, pero
varios de estos personajes murieron supuestamente
a los cincuenta y cinco años para reaparecer bajo
otros nombres y seguir cobrando pensiones por

seguro. La señora Lutestring es otra encantadora centenaria que resulta ser la criada en cuestión, y hay también un Caballero Mayor. Se discute sobre seres secundarios y el nudo del acto es la longevidad misma, el acaecimiento del milagro.

En el acto II de la Tercera Parte aparecen Napoleón, una Mujer Velada y el Oráculo, así como otros personajes del precedente que van a consultar al Oráculo.

Acto III. El templo. Varios de los personajes ya presentados se quedan en el mundo matusalénico.

Parece poco probable o comprobable que en la época en que GBS escribió esta obra maestra existieran escritores de ciencia-ficción de alguna importancia, excluyendo por supuesto a los precursores como Cyrano de Bergerac en su Viaje a la Luna y Jules Verne en sus navegaciones del futuro. La intención de Shaw, aunque emana del conocimiento de la biología y se apoya en citas de los primeros evolucionistas como Empédocles en el siglo V A.C. y Erasmus Darwin, abuelo de Charles, tiene otra dimensión de orden inmaterial, bergsoniana claramente, que es la fusión del tiempo y el entrecruzarse de los tiempos, que son permanentes y alternables o permutables al través de las personas matusalénicas que los representan.

La parte V del pentateuco shaviano se intitula "Hasta donde puede llegar el Pensamiento". Estamos en 31,920 A.D. Un jardín de juegos y jóvenes que danzan. Sobreviene un Anciano o Antiguo que, absorto en sus pensamientos (el pensamiento es la función vital de la ancianidad) tro-

pieza con un joven. Tras explicaciones y excusas, el Joven invita al Anciano a bailar y a divertirse con ellos; el invitado declina aduciendo que ya bailó en su juventud. El Joven considera horrible la vida de los viejos —ellos no serán así cuando crezcan: sería "una vida de perros". Habla el Anciano: "De ningún modo. Repites esa vieja frase sin saber que en un tiempo existió en la tierra una criatura llamada perro. Los interesados en las formas extintas de la vida te dirán que (al perro) le encantaba el sonido de su propia voz y que daba saltos cuando se sentía feliz, como hacéis aquí vosotros ahora. Sois vosotros, hijos míos, los que lleváis una vida de perros." Y más adelante: "Pronto abandonaréis todos estos juguetes y juegos y dulces." El Joven responde: "¡Cómo! ¿Y ser tan degraciados como vosotros?" El Anciano: "Bebé: un momento del éxtasis de la vida como nosotros la vivimos, os mataría." ¿Debe inferirse de esto que los jóvenes son perros bailarines?

Aparece una Anciana y "la procesión encabezada por Acis emerge del templo. Seis mozos llevan sobre sus hombros un fardo cubierto por un esplendoroso pero ligero palio. Por delante de ellos ciertas doncellas oficiales llevan una túnica nueva, jarras de agua, trastes de plata agujereados, paños y esponjas inmensas. Los demás llevan varas con listones y esparcen flores. El fardo es depositado en el altar y el palio retirado. Es un huevo enorme." El huevo contiene a una criatura, incubada conforme a las leyes de la Evolución, que quiere nacer ya. "La Anciana toma sus dos sierras y con un par de golpes abre el huevo. La Recién Nacida, una linda chica que habríamos pensado de diez y siete años en nuestros días, se incorpora en la cáscara rota, exquisitamente fresca y rosácea, pero con filamentos de albúmina adheridos aquí y allá." Los oficiantes proceden a lavarla, a vestirla, a levantarla, a bautizarla. Se llamará Amaryllis y se la previene de que sólo podrá morir por accidente: romperse el cuello en una caída, ser golpeada por un árbol que cae o fulminada por un rayo. Tendrá ante sí cuatro años para jugar y divertirse con los jóvenes y sus juguetes: un templo, cuadros, imágenes, flores, telas brillantes, música; "sobre todo, ellos mismos, pues el más divertido juguete para un niño es otro niño. Al término de cuatro años tu mente cambiará: te harás sensata y entonces se te confiará poder."

"La Recién Nacida: Pero yo quiero poder ahora."

"La Anciana: Sin duda que sí, para poder jugar con el mundo haciéndolo pedazos... Hubo un tiempo en el que se le dio el mundo a los niños para que jugaran porque prometían mejorarlo. No lo mejoraron, y lo habrían hundido si su poder hubiera sido tan grande como el que tendrás tú cuando ya no seas una niña."

El joven Acis (dos años) comenta: "Imagínate no más. Esa vieja ha estado andando setecientos años y todavía no ha tenido un accidente fatal y no está ni así de cansada."

Y "mañana es el día que nunca llega".

Hacia el final aparecen los fantasmas de Adán y Eva, los primeros padres, de Caín, "el primer niño y el primer asesino", de la Serpiente, que

*precedió en la vida a Adán y Eva y les enseñó
cómo hacer nacer a Caín. Pero hay todavía alguien más antiguo: Lilith, el Origen, "en la que
el padre y la madre fueron uno". Lilith afirma-
antes del telón final: "Sólo de la Vida no hay
fin... Y para lo que pueda haber más allá, la
vista de Lilith es demasiado corta. Es suficiente
que haya un más allá."*

*En suma, la Evolución Creadora es la aspira-
ción a liberar a la Vida de la materia, eternizán-
dola en pensamiento y volviéndola al Principio
—ad infinitum. Conjuga y combina la biología y
la filosofía.*

EL POST-SCRIPTUM (1944)

*En 1945 y bajo el número 500, esta pieza de
Shaw fue incorporada a la colección de clásicos
de Oxford. El autor así honrado aceptó escribir
la presentación de su pieza, "más bien en una
vena de explicación y excusa que en una fanfarria
de descarada exultación". "Por lo tanto, aunque
no soy adicto a la que he llamado 'la modesta to-
secilla del poeta menor,' trataré de ser tan discul-
patorio como mi naturaleza me lo permite."*

*En su brillantísimo, implacable análisis de la
divinidad, el darwinismo, el determinismo y la
Evolución Creadora, asienta GBS en un párrafo:
"La leyenda de Matusalén no es ni increíble ni
acientífica. La vida se ha alargado considerable-
mente desde que yo nací; y no hay razón por la
que no deba prolongarse diez veces más después
de mi muerte..." "Mientras escribo en todos los*

131

labios está el grito de que nuestros estadistas son demasiado viejos y que deben formarse en todos lados ligas de Juventud para salvar de ellos a la civilización. Pero antiguos precursores desesperados me dicen que los jóvenes son peores que los viejos, y la verdad parece ser que nuestros estadistas no son lo bastante viejos para sus puestos. La vida es demasiado corta para la experiencia y el desarrollo que requiere el cambiar a escolares románticos o aun a cuáqueros prematuramente forzados en sapientes senadores. En el siglo XIX reaccionamos de un fenómeno desgastado a un mundo Cobden-Croce [1] en el que el amor del dinero es la raíz de todo bien y la libertad de contrato y pensamiento el tesoro más selecto del hombre ("desconsoladora insensatez", la llamó Carlyle) y ahora reaccionamos o bien hacia un mundo marxista en el que el milenio será garantizado por un nuevo catolicismo en el cual los proletarios de todas las tierras deberán unirse, o bien hacia una idolatría de imaginarios héroes carlyleanos y de espurios superhombres nietzscheanos; pero no tenemos sabios lo bastante viejos ni lo bastante sapientes para sacar una síntesis de estas reacciones y para desenvolver la imponente fuerza magnética que debe reemplazar al garrote del policía como instrumento de autoridad. Aunque estoy muy lejos de ser tan inteligente y de estar tan bien informado como piensa la gente, no estoy

---

[1] Alusión al estadista y economista inglés Richard Cobden (1804-1865) y a sus teorías, y al filósofo italiano Benedetto Croce (1866-1952) y su doctrina.

por abajo del promedio en capacidad política; to-
davía en mi octogésimonono año no soy más apto
para gobernar a millones de hombres que un mu-
chacho de doce. Físicamente estoy fallando: mis
sentidos, mis potencias locomotrices, mi memoria
están decayendo a un ritmo que amenaza hacer de
mí un Struldbrug si persisto en vivir; con todo, mi
mente se siente todavía capaz de crecimiento pues
mi curiosidad es más aguda que nunca; y si la
fuerza vital me diera un cuerpo tan durable como
mi mente y yo supiera mejor cómo alimentarme
y alojarme y vestirme y comportarme, podría ini-
ciar una carrera política como burócrata menor y
evolucionar hasta convertirme en un capaz miem-
bro del Gabinete en otros cien años o cosa así."

Es difícil penetrar y digerir toda la miga en
ésta y otras citas, sobre todo sin las relaciones ideo-
lógicas y eruditas circundantes; pero, ¿no está presente en ellas, luminosamente, una meta a elegir
para nuestros jóvenes? Se dice axiomáticamente
que la juventud es una enfermedad que se cura
con los años, pero en lo que ahora atestiguamos
se percibe que también es un mal que puede em-
peorar al paso del tiempo y acarrear una modali-
dad muy peligrosa de inercia vital: el joven pro-
fesional o sempiterno. Esto es ya visible en la
tendencia de los hombres de entre cuarenta y
cincuenta años que emulan a los adolescentes en
la longitud de la cabellera y en el aguacero de
colores de las vestimentas. Por lo demás, ocurre
lamentablemente que el hombre, joven o viejo,
está tan solo, sobre todo en este momento de nuestro mundo, que la enfermedad, la dolencia y ese

*terrible mal que es el error, constituyen una forma
de compañía y de alimento para él —que se mira
en sus llagas y se nutre de ellas. Vuelve a mí una
frase juvenil oportuna: hay algunas gentes que
ponen el dedo en la llaga, pero muchas más que
ponen la llaga en el dedo... ajeno.*

EL PREFACIO (1921. Revisado en 1944)

*Cito un poco al azar, en la imposibilidad de re-
producir el texto íntegro, cuya lectura detenida y
reflexiva recomiendo calurosamente a los jóvenes.*
    *"...La vida varía ampliamente en duración.
Nadie puede explicar por qué un loro ha de vivir
diez veces tanto como un perro, y una tortuga siglos más que una avispa. Aun dentro de la misma
especie encontramos que el promedio de la vida
del hombre varía de generación a generación y
de individuo a individuo. Luigi Cornaro vivió
sesenta años más que Rafael o Mozart. Aun nuestros hombres más viejos no viven lo bastante:
son, para todos los fines de elevada civilización,
meros niños cuando mueren, y nuestros Primeros
Ministros, aunque considerados como maduros,
dividen su tiempo entre el campo de golf y la
Comisión del Tesoro (Treasury Bench) en el Parlamento."*
    *En contraste o en juego con lo que escribí sobre
el involuntario nacimiento del hombre, recojo
esta perla shaviana:*
    *"La raza aprende exactamente como aprende el
individuo. Vuestro hijo recae o retrocede, no hasta el comienzo mismo, pero hasta un punto que*

ningún método mortal de medición puede distin-
guir del comienzo. Ahora bien, esto es curioso
pues ciertos otros hábitos vuestros, igualmente ad-
quiridos (para el evolucionista, por supuesto, to-
dos los hábitos son adquiridos), igualmente in-
conscientes, igualmente automáticos se transmiten
sin retroceso perceptible alguno. Por ejemplo, el
primer acto de vuestro hijo, cuando entra en el
mundo como un sér individuado, es gritar con
indignación, emitir ese aullido que Shakespeare
consideraba el más trágico y lastimero de todos
los sonidos. En el acto de gritar empieza a respi-
rar: otro hábito, y ni siquiera uno necesario ya
que el objetivo de respirar puede lograrse en otras
formas como ocurre con los peces del mar de
fondo. Hace circular su sangre bombeándola con
su corazón. Exige una comida y en seguida procede
a efectuar las más elaboradas operaciones quími-
cas en el alimento que absorbe. Manufactura dien-
tes, los descarta y los reemplaza por otros nuevos.
Comparados a estas proezas habituales, caminar,
permanecer vertical y andar en bicicleta son meras
bagatelas; sin embargo, es sólo pasando por el pro-
ceso de querer y de intentar como puede estar en
pie, caminar o pedalear, en tanto que en los otros
y mucho más difíciles y complejos hábitos no sólo
no quiere ni intenta conscientemente, sino que
conscientemente en realidad los objeta con energía.
Tomad ese temprano hábito de echar dientes o
endentecer: ¿lo haría si pudiera evitarlo? Tomad
ese otro hábito más tardío de decaer y eliminarse
por la muerte —hábito igualmente adquirido, re-
cordadlo— ¡cómo lo aborrece su conciencia! Sin

embargo, se ha vuelto tan automático que el hombre lo ejecuta a pesar suyo, aun al extremo de su propia destrucción.

"Tenemos aquí una rutina que, si se le da tiempo bastante para funcionar, producirá finalmente las más elaboradas formas de vida organizada sobre lineamientos lamarckianos sin la intervención de la Selección Circunstancial en lo absoluto. Si podéis convertir a un peatón en ciclista, y a un ciclista en un pianista o violinista, sin la intervención de la Selección Circunstancial, podéis convertir a una amiba en un hombre, o a un hombre en un superhombre sin ella.

"...Fijemos bien en nuestra mente el proceso evolucionario lamarckiano. Estáis vivos, y queréis estar más vivos. Queréis una extensión de conciencia y de poder. Necesitáis, en consecuencia, órganos adicionales, o usos adicionales para vuestros órganos existentes: es decir, hábitos adicionales. Los conseguís porque los queréis lo bastante para tratar de conseguirlos hasta que llegan. Nadie sabe cómo; nadie sabe por qué; todo lo que sabemos es que la cosa realmente sucede. Recaemos miserablemente de esfuerzo en esfuerzo hasta que el viejo órgano queda modificado o es creado el nuevo, cuando súbitamente lo imposible se vuelve posible y el hábito se forma.

"La prueba de un dogma está en su universalidad."

Renuncio a continuar citando a GBS —por ahora al menos. Todas las etapas del desarrollo animal del hombre han sido siempre idénticas, pero parecen variar con lo que podría llamarse la *evolución acelerada del proceso. Padre de cuatro hijos, y testigo de visu del nacimiento de cada uno —experiencia que en mi concepto ningún hombre debe perderse— y pasados treinta años de mis experiencias progenitoras, he podido ver bebés que nacen cada vez más vigorosos y con rasgos más claramente definidos, acuñados, dijérase, y que desenvuelven sus facultades y echan dientes en periodos más y más cortos. Es indudable que la criatura semi o cuasi ovovivípara imaginada y prevista por Shaw en su gran pieza, es el antecedente clásico, digamos, del bebé de probeta que se anuncia en nuestros días, mucho antes del año 31,920 del Señor. Hay una evolución evidente, pero no sabemos ni podemos decir todavía si será creadora, puesto que no se ha visto aún a los fetos o los productos de la probeta por agencia de inseminación artificial o lo que sea —de un acto, en todo caso, desprovisto de la maravillosa y animal pasión humana que durante siglos fue el refugio de la humanidad contra la nada o la conciencia de la nada. La reproducción es, naturalmente, otra forma de la evolución, del retroceso, de la caída y de la marcha hacia el futuro, por interpósitos productos.*

Creo que fue a fines del siglo XVIII cuando se puso de moda el procedimiento del llamado "parto a la reina" que a la vez que paliaba los sufrimientos de labor de las testas coronadas y de las princesas, hacía más duro y antisocial el dolor de las parturientas plebeyas, dolor que, sin embargo, tiene tradición bíblica ya que el hombre debía ganar el pan con el sudor de su frente y la mujer dar a luz con los dolores de su vientre. Una excelente poetisa amiga mía, Esperanza Zambrano, declaraba con festiva vena que ese dolor es terrible pero que no deja rencor. Todo ha ido simplificándose, civilizándose en medida creciente, pero cada innovación ha sido un hachazo profundo al árbol de la tradición natural, que es la buena porque justamente, en términos evolutivos, es un hábito secular. Recuerdo con admiración a una gran dama mexicana esposa de un hombre-gobernador-ministro de hacienda y otras cosas altisonantes, bella, pequeñita, que al sentir próximo el momento de cada uno de sus diez o doce alumbramientos, se encerraba en el granero de su hacienda y daba a luz por sí sola, sin ayuda de médico o enfermera. Una señora que paría "como Dios manda". Fugile, irreparabile tempus.

¿Son menos madres, en el sentido bíblicamente doloroso, las que alumbran con anestésicos excesivos —no ya partos a la reina, con cortes o falsas cesáreas o con cesáreas comme il faut?

El problema capital parece consistir en que ahora, desde el momento en que se hace sentir ese golpe de estado conyugal que se llama el embarazo o la preñez de la esposa, se inicia ya la separación entre la madre y el infante que, más marcadamente que en el pasado, es considerado un intruso, o con sonriente buena voluntad en mi cuádruple experiencia paterna, un "forastero" que inocentemente cae en un mundo que sólo podría ser mejor si dejara de existir.

¿Nacen ahora —me pregunto— los varones con abundancias capilares y las hembras con hot-pants

o con una preponderancia particular de sus órganos genitivos que apunta ya hacia el hermafroditismo o el tercer o cuarto sexo? La pregunta no es impertinente ni ociosa, pero debo advertir con absoluta lealtad que he penetrado y me encuentro en un mundo de interrogaciones y que no conozco las respuestas. Puedo afirmar solamente que la evolución es visible y que del mundo primitivo en lo físico aunque superior en lo ético y estético, del mundo incestuoso de los gatos y los perros y de Edipo y Yocasta y de todos los complejos desde Edipo y Electra hasta los Maias de Queiroz, los Bocanera de Zola y las históricas familias de México, nace un mundo diferente cuya línea central, maestra, parece ser la separación, la disociación radical entre el productor y el producto, que puede acarrear nuevamente relaciones del orden natural primitivo y el retorno, por lo tanto, al incesto como práctica establecida. Es decir, como si la tendencia consistiera en demostrar que el infante es autóctono y que su padre y su madre no son sino cauces genéticos que la ciencia biológica reemplazará a corto plazo quizá por elementos más modernos, up to date, à la page que removerán todo obstáculo de orden moral en las relaciones sexuales entre padres e hijos que pueden resurgir después de una nueva catástrofe atómica de proporciones mundiales, como el único medio posible para repoblar al mundo nuclearizado.

Con éste y otros progresos se borrará una tradición mil veces secular de apego físico y afectivo, de ternura moral, de amor desinteresado y desexuado que parecerán ser menos que superestructuras o superficialidades en el giro de la civilización que se prepara a caer sobre nosotros.

Rotas las ligas de sangre o consanguinidad entre los involuntarios pobladores del grupo terráqueo renovado, ¿cuál será el panorama? ¿Podrá el hombre, podrá la mujer, podrá el ser humano en suma, prescindir del afecto, de la lealtad, del amor amistoso, de la amistad amorosa que hasta ahora han sido bases y ejes de la sociedad y de la compañía humanas?

Los prolegómenos son inquietantes. No sólo hay madres precoces que destruyen a hijos no deseados, uxoricidas, hijos que matan a sus padres, padres que matan a sus hijos, en escala estadísticamente superlativa, sino casos más en consonancia o armonía, si puede decirse, con la fase evolutiva por la que atravesamos aparentemente sin voluntad ni esfuerzo —o sea la evolución destructiva y no creadora. Particularmente escalofriante me parece el episodio, registrado en la prensa de México, del asno de 25 años que se suicidó dejando para su padre una nota que decía más o menos: "Jefe: Me cortaste la melena y no puedo vivir sin ella." Curiosa evolución, también, de la definición tan trasoída y trasentendida de Schopenhauer: ya no es sólo la mujer el animalito de cabellos largos y de ideas cortas. Cumpliendo las supuestas profecías de la Gran Pirámide de Egipto, el hombre, a quien la mujer ha robado profesiones, actividades de todo género —títulos académicos, deportes, intentos artísticos y científicos, pantalones, etc.— se adueña de los atributos femeninos para establecer una igualdad entre los sexos, como cuando la mujer aspiró a tener cabeza de hombre cortándose el pelo. Ese joven subser, esa peluda subalimaña que no sabía que el pelo tiene una tendencia reproductiva y que, igual que la barba, suele crecer aún después de la muerte de su poseedor, parece típico de nuestra supuesta civilización. ¿Qué muralla, entonces, separa al joven del adulto, que ya no pueden entenderse siquiera en las cosas o actos naturales, vegetativos, e inmutables ellos sí, aunque transformables y evolutivos? Sigo preguntando, y me quedan todavía algunas interrogaciones a propósito de

ESTA PIEZA

Dos veces, en mi carrera de escritor, he sentido la tentación urgente, vertiginosa, de destruir, quemar, convertir en polvo y cenizas lo que había escrito. La primera vez se trataba de Corona de Sombra; ahora se trata de ¡Buenos días, Señor Presidente! Y quisiera dejar aquí, antes de seguir adelante, una flecha o indicación caminera —a riesgo de ser tomado una vez más por soberbio— para quien tenga alguna vez la malhadada idea de escribir una biografía de RU: RU no ha mentido nunca, fuera, claro de una docena de imposturas oficiosas o blancas —(No, no eres fea), o rosa —(Perdón, pero tengo una invitación previa) (No, si ese sombrero es muy elegante), o piadosas —(No, si no es cierto que vayas a morirte). En ninguna cosa fundamental he mentido, a riesgo de mi in-

*tegridad, de mi conveniencia o de mi vida. Así
pues, no miento ni me jacto ahora.*

Escrita Corona de Sombra *en cinco días de labor frenética y sin pausa, debí consultar una en-
ciclopedia para una fecha, y al recorrer con los
ojos la ficha respectiva, vi que había omitido en
mi pieza cuestiones y detalles que podían ser his-
tóricamente capitales. Mi primer impulso, a muy
duras penas contenido, fue despedazar y quemar
el único manuscrito: tenía yo una excelente chi-
menea que clamaba por cumplir su misión natural. Una vocecita audible apenas me apuntó la
conveniencia de esperar al día siguiente. Lo hice
y redacté entonces el Prólogo después de la Obra.
dándome clara cuenta de que cuando se escribe
una pieza sobre un caso de la historia lo que im-
porta es la creación dramática y no el periquismo
historicista. Me salvé, y* Corona de Sombra *sigue
aún su azaroso camino que justifica plenamente
su título.*

*La situación es otra, aunque similar, en la in-
cidencia de* ¡Buenos días, Señor Presidente! *Ante
todo, nos encontramos frente a una obra de imaginación cuyos episodios siguen hasta el final del
cuadro primero del acto segundo el itinerario trazado por Calderón en* La Vida es Sueño, *y por lo
tanto obedece a una secuencia lógica preestable-
cida. Después ocurre que la relación evidente entre las situaciones y los personajes, y los actores
y circunstancias de los acontecimientos de orden
político-universitario y policíaco de 1968 a la fecha en el mundo entero, tiene directa correspon-
dencia con lo que yo considero que debe ser el*

142

*arte del teatro: recordar con ayuda de la imagi-
nación. Hasta aquí me siento en orden. Pero...*
   Al contrario de lo que me ha sucedido al escribir muchas otras obras concentrado en una
emoción central, encerrado en el clima emotivo
particular de cada una, ninguna sacudida de esa
índole me acompañó en ésta, quizá por la idea
epidérmica de estar siguiendo, sin mayor esperanza de éxito, la línea maestra de Calderón de la
Barca y por la necesidad de trasladar o trasplantar
sin deterioro sensible, sin arruinarlos, los jardines
líricos que, fuera de las escenas cómicas y de la
forma prescrita en el Nuevo Arte de hacer Comedias, dan a La Vida es Sueño y a Segismundo
calidad de obras maestras de una altura metafí-
sica y poética inigualada hasta ahora. O sea que
problemas de orden técnico tan absorbentes como
la trasposición de los monólogos me impidieron
prestar la menor atención a mis sentimientos personales. Me ocurrió luego que una inexplicable
inercia me impidió durante varias semanas, a golpes cotidianos, trazar el cuadro final del segundo acto. Quizá —lo pensé más de una vez sin de-
finirlo con precisión— me era insorportable, en
la zona de mi inconsciente, el pensamiento de
que Harmodio y Victoria murieran así, a manos
de sus propios hermanos. Pero peor aún, sin duda,
que debían morir en esa forma. Dumas padre, se
cuenta, pasó por una crisis de lágrimas cuando
tuvo que dar muerte a Athos. Lo más curioso se
presentó entonces: una emoción particular empe-
zó a cerrarme la garganta y a forzarme a verter
discretas lágrimas en las primeras lecturas hechas

143

ante amigos en mi casa de México, D. F., en Guadalajara y, dos veces, con auditorios selectos y profesionales en buena parte, en la casa de Rosa Elena Luján, viuda de Traven. Entonces apareció otro fantasma: es sabido que por regla general —aunque la única regla de oro es que no hay reglas de oro, según Shaw— la obra que hace llorar a su autor no comunica emoción ninguna al espectador, y que, como apuntó alguien más, lo que un autor hace burlándose provoca el llanto del público y lo que escribe llorando suscita su risa.

Por lo demás, la frase de un amigo tan querido como inteligente en vez de darme alientos, acabó de dispersarme. "Un supergesticulador, en términos de tragedia griega purísima."

Este es, pues, el mapa móvil de mi pensamiento en el caso y contiene la razón que me mueve a entonar aquí un

MEA CULPA

¿Por qué, de pronto, pensando en esta pieza en medida obsesionante, me pareció vieja, aunque no hueca, comparada con obras recién conocidas de Manet, de Ionesco y de Beckett, Premio Nobel del drama del mundo, de Krapp, de Godot y hasta del diálogo, corriente sanguínea del drama, que tan pobre me parece en el galardonado seguidor de Joyce?

¿He desperdiciado cuarenta años, o más, de mi vida escribiendo otras tantas piezas y comedias para crear un teatro mexicano que no existía sino en ausencia, y he hecho sólo teatro viejo? ¿Llegué

144

ya, a los sesenta y seis años, al punto culminante que significa la disolución de la capacidad creadora? ¿No he evolucionado? ¿Me he acabado ya, simplemente, y a la inversa de Rimbaud que se alejó de la poesía a los diez y ocho años, persisto en escribir por simple inercia mecánica? ¿No he evolucionado? Para seguir la imagen de GBS, ¿no he logrado querer con toda mi voluntad, esforzarme por todos los medios para hacer crecer mi cuello como la girafa y poder así cortar las hojas más tiernas de la copa del árbol para alimentarme, para nutrir a mi ambición de crear? O bien, ¿he llegado ya al erial, al desierto, al páramo, a la extinción natural de mi potencia? Ojo: extinción: hábito adquirido.

Aclarar, poner en orden de análisis, examinar, resolver esta maraña que enreda por igual mis sentimientos y mis ideas. Al pasar a máquina el cuadro final volví a sentir el impacto, capté lo que dice mi amigo: el ambiente trágico griego. Y quizás a la vez, de nuevo, el impulso de destruir lo escrito y de buscar el medio para prolongar la vida y lograr la perduración de las gesticulaciones inocentes —en el sentido nietzscheano del candor de la tragedia—, esto es, puras, límpidas, gratuitas, desinteresadas, llenas de buena fe y sobre todo de fe de Harmodio. Hay una liga visible entre mis jóvenes que juegan al gobierno y los niños mexicanos que comen calaveras de azúcar. Otra vez planteo preguntas y me lanzo a buscar respuestas. ¿Demasiado tarde puesto que "mi sitio está hecho"? Pero la culpa es toda mía. Lo acepto.

¿Por qué escribir ¡Buenos días, Señor Presidente!?
¿Quién me lanzó a ello? No fue Calderón, que es
más bien un punto de llegada que un trampolín.
¿Entonces?

LAS CUENTAS CLARAS — SI ES POSIBLE

Debo aclarar desde luego que detesto el teatro
simbólico, simbolista en el viejo estilo, y la mayor
parte del teatro neoexpresionista, absurdista y seu-
do surrealista reposa sobre el símbolo, al contrario
del teatro per se que, a partir de Sófocles, cuenta
como elemento primordial en tres dimensiones al
hombre víctima de los dioses, de la religión y de
la sociedad constituidos, eterno fugitivo fuera del
destino que le fabricaban las deidades paganas an-
tes, la iglesia católica y las sectas y subsectas cris-
tianas más tarde, la tecnología y el comunismo
hoy. La ecuación es fácil: Teatro=Hombre. Si no
es hombre, no es teatro.

Puede argüirse sin duda que a partir de la Edad
Media sobre todo las figuras esenciales del teatro
religioso fueron símbolos de la santidad, del de-
monio, del hombre, del pecado, etc.; que hasta en
la Commedia dell' Arte las figuras simbólicas de
Pierrot, Colombina y Arlequín representan la gra-
cia del ser humano, igual que en el primer ex-
presionismo alemán el adorador fálico de Toller
en Hinkemann, *los uniformes militares de Pisca-*
tor, en Godot, en Hamm y Clov y otros artificios
parecidos pretende simbolizarse al hombre en tér-
minos extrahumanos, inmunes al correr del tiem-
po, inevolucionados, permanentes en su superficie

plana. Pero no son hombres como Edipo, Harpagón, Alcestes, Hamlet, Macbeth, Pedro Crespo, Calisto, Peer Gynt. En esto puede verse la batalla de siempre entre el teatro-hombre y el teatro-parásito, el viviente y el artificial. Puede agregarse que, como en el caso de la tesis que toda obra maestra contiene sólo a posteriori y como resultado, no punto de partida, en toda gran pieza hay un símbolo derivado de la humanidad *del carácter o personaje. Baste citar a Hamlet, símbolo de la indecisión.*

Pero si en toda apariencia el hombre es evolucionable en lo físico ateniéndonos a las especies darwinianas, ¿lo es también en lo que llamamos espiritual, en lo metafísico, en lo psicológico en igual proporción? ¿Ha permanecido entero veinticinco siglos en el testimonio del teatro para convertirse ahora en un ser diferente, de otro mundo, de otro planeta y cambiará su interior como se adaptará su cuerpo a otros climas, incluso a otra organización o selección de carácter biológico? ¿Cambiarán sus pasiones, sus necesidades y requerimientos, su realidad sexual, sus aspiraciones para desmentir y borrar, en rigor, la historia entera de la humanidad? Es fácil ver que sigo preguntando y seguiré todavía por un momento.

La mezcla de emoción incontenible y de insatisfacción angustiosa a las veces que me produce esta pieza, ¿procede de un choque o conflicto entre contenido y forma? ¿Entre realidad e irrealidad? ¿Entre posibilidad y probabilidad? Mientras la escribía dije alguna vez a Alfredo Robledo que el riesgo elemental que corría yo al hacerlo consistía

147

en que el público y la crítica pudieran declarar que todo lo bueno que contiene es de Calderón y todo lo malo de RU. Ya, en las lecturas, un amigo de lúcida y bien disciplinada inteligencia declaró que esperaba que el final fuera un retorno al principio, una vuelta al sueño. Un crítico habló de una "problemática de lo imposible", encontrando inaceptable la probabilidad de un presidente de veintidós años y olvidando que Cuauhtémoc fue emperador a los veintiuno, y sobre todo que la probabilidad es el reino del teatro.

Debo decir que hasta hoy no estoy satisfecho de mi trabajo en esta pieza, pero abrigo el sentimiento —ineludible y que me abriga y protege a mí en realidad— de que tiene validez y valencia, de que sus personajes mitad mito y mitad hombres en general, héroes y villanos, viejos y jóvenes, están vivos en los países de nuestro —por ahora— tercer mundo. Sobre todo, de que Harmodio, antes y después del símbolo, pertenece a la familia de Segismundo, de Edipo, de Hamlet y de todos los ciudadanos del teatro-hombre.

El tiempo se encargará de desmentirme y de borrar esta obra si estoy equivocado, pero por ahora es el público el que tiene la palabra final, y yo acepto aquí su juicio.

RODOLFO USIGLI

México, D. F.
Septiembre 5, 1971,
a marzo 23, 1972.

148

IMPRESO Y HECHO EN MÉXICO
PRINTED AND MADE IN MEXICO
EN LOS TALLERES DE
EDITORIAL MUÑOZ, S. A.
PRIVADA DEL DR. MÁRQUEZ, 81
MÉXICO 7, D. F.
EDICIÓN DE 3000 EJEMPLARES
Y SOBRANTES PARA REPOSICIÓN
21-vi-1972